رواية

سيقان ملتوية

زينب حفني

صدرت عام 2014 عن **نوفل**، دمغة الناشر هاشيت أنطوان

سنّ الفيل، حرج تابت، بناية فورِست
ص. ب. 0656-11، رياض الصلح، 2050 1107 بيروت، لبنان
info@hachette-antoine.com
www.hachette-antoine.com
www.facebook.com/HachetteAntoine
twitter.com/NaufalBooks

تصميم الغلاف: **معجون**
صورة الغلاف: **Coltrane Koh / Trevillion Images ©**
تصميم الداخل: **ماري تريز مرعب**
متابعة النشر: **رنا حايك**
طباعة: **Chemaly & Chemaly**

ر.د.م.ك.: 978-614-438-050-5

صديقي... لا يمكن أن يتنفَّس عاشقٌ ولهان بعمق، في أرض غريبة تتَّهمه جزافًا بالخيانة العظمى، وتزجّ باسمه عند وقوع مصيبة في أيّ ركن من العالم، وعند كلّ منعطف!

1

خرج رجل في منتصف عقده الخامس من باب فيلّته الفخمة، يقود سيّارته «الجاكوار» الفارهة، تاركًا خلفه شارع سينت جونس وود[1] Saint Johns Wood St.، مخترقًا بسيّارته المحالّ والمقاهي الواقعة على جانبي الطريق، مارًّا بالشارع المحاذي للمركز الإسلامي The London Central Mosque. كان مساعد يقود سيّارته بعينين منهكتين، تحيط بهما هالتان من السّواد، مصحوبتان بجيوب منتفخة تحت الجفنين السفليّين، تُوحي لمن يراهما أنَّ الكرى لم يزر مضجع صاحبهما ساعات طويلة، وقد بدت على مُحيّاه تعابير من القلق والتوتُّر، لم تستطع أناقته الواضحة للعيان، التستُّر على نفسيّته المحطَّمة. صبيحة اليوم تُشير إلى الأسبوع الأوّل من شهر يناير 2007 م، لحسن حظّه لم يكن يوم جمعة، حيثُ يغصُّ هذا الطريق عادةً بالمصلّين القادمين للصلاة، في المسجد التّابع للمركز. الطَّقس بالغ البرودة، تتراوح درجته ما بين الثالثة والرابعة، إلّا أنّ تقرير الأرصاد الجويّة نفى سقوط أمطار، وهو ما جعل مساعد يقود سيّارته

[1] حيّ سكني راقٍ، زاخر بالفلل الفخمة، وتتمركز فيه الأُسر العربية الغنية.

بشيء من الارتياح، رغم كتل الهواجس المتراكمة في ذهنه. آثار زينة أعياد الميلاد ورأس السنة ما زالت معلّقة في الشوارع، وعلى واجهات المباني. وجوه المارّة تعلوها مسحة من الكسل بعد أيّام من التراخي. بالكاد وجد مساعد موقفًا لسيّارته أمام محل الوادي الأخضر الواقع في شارع إدجوار روود[2] Edgware Road. ترجّل من سيّارته، وضع بعض النقود المعدنية في العدّاد الخاص بالموقف. أحكم معطفه الصوفي الثقيل على جسده، تحسّس جيوب معطفه، تأفّف، اكتشف أنّه نسي علبة سجائره في البيت، لعن داء النسيان الذي فرض نفسه عليه مستغلًّا كِبرَ سِنّه. توقّف عند أحد الدكاكين، طلب علبة «مارلبورو» حمراء، كانت عينا البائع مشدودتين إلى شاشة التلفاز المعلّق بإحدى الزوايا، وفكره مشغولٌ بمتابعة أخبار قناة BBC، التي كانت تنقل الردود المتباينة لإعدام الرئيس العراقي صدّام حسين، في أوّل أيام عيد الأضحى المبارك. سأله البائع بلهجة عراقية وهو ينفحه بقيّة نقوده «حضرتك عربي؟!» أومأ مساعد بالإيجاب، حشر أوراقه النقديّة في جيبه، تشاغل بفتح العلبة، سحب سيجارة، أشعلها ونفث منها نفسًا عميقًا، خرج بخطوات مسرعة تاركًا دخان سيجارته يملأ فضاء المحلّ، لم يدع للبائع فرصة الاسترسال في الكلام، سمعه وهو يأخذ طريقه إلى الشارع، يُخاطب زميله القابع عند ركن المجلّات «يا أخي، لا أعرف لماذا كلّ هذا الحزن على صدّام حسين؟! ماذا يهمّ إن أُعدم أوّل أيام عيد الأضحى أو في يوم آخر؟! هل نسي الناس ما اقترفه من جرائم، وأصبح في نظرهم بطلًا مغوارًا يتباكون عليه؟! هل نسوا الجرائم الفظيعة التي ارتكبها؟!». كان مساعد قد ابتعد عن المكان قبل أن يصل إليه ردّ الرجل الآخر، الذي كانت هيئته تدلّ على أنّه عراقي أيضًا.

[2] سوبرماركت متخصّص في بيع الأطعمة العربية من نيئة وجاهزة للأكل.

سار مساعد باتّجاه مركز الشرطة، مرّ بفندق «الهيلتون» Hilton في طريقه، حرّكت شرودَ فكره نسمةٌ من شقاوة الشباب، تجلّت أمامه مشاهد من الماضي، قلّب على عجل صورها الجميلة، تذكّر الرحلات الأسبوعية التي كان يقوم بها عندما كان طالبًا، يأتي مع عدد من أصدقائه إلى لندن بالقطار لقصد هذا الشارع تحديدًا، يرمقون من بعيد العاهرات الباحثات عن صيد عربي ثمين، لم يكن بعضهم يكتفي بالنّظرات، بل يستأجرون غرفًا فندقية لمتعة سريعة. ابتسم بمرارة عندما مرّت بخاطره الورطات التي وقع فيها أصحابه مع أولاء النسوة. لا يُصدّق أيٌّ من معارفه، عندما يُؤكّد لهم أنّه لم يلمس مومسًا في حياته! أطلق زفرة مثقلة بالهموم، ترحّم على الأيام الخوالي، أدار حدقتي عينيه، وقع نظره على مركز الشرطة، علا وجهَه الشحوب، كأنّ وعكة باغتته فجأة ونمّلت أطرافه، ازدرد ريقه، سأل أحد أفراد الشرطة عن مكتب الضابط، أشار له بسبّابته، وقف عند الباب متردّدًا، صبغ صفحة وجهه بابتسامة مصطنعة، نظر الضابط صوبه، «هل من خدمة أقدّمها لك؟!». تقدّم تجاهه بخطوات متثاقلة، جلس على المقعد المقابل له، شعر بصهد ينطلق من جوفه، أخذ جبينه يتفصّد عرقًا، حرّك يده المرتعشة، دسَّها في جيب معطفه، أخرج صورة لفتاة في بداية عقدها الثاني «أُريـد تحرير بلاغ عن اختفاء ابنتي». دقّق الضابط في الصورة، وضعها جانبًا «حسنًا، هناك بعض الإجراءات يجب أن نتّبعها أوّلًا... هويّتك من فضلك».

غرز الرجل يده مرّة أخرى في جيب معطفه مُخرجًا جواز سفره.

قال الضابط وهو يُقلّب صفحات الجواز باهتمام «إذًا أنتَ سعوديّ الجنسية؟».

«نعم».

تهجّى اسمه بصعوبة «اسمك... مساعد عبد الرحمن؟».

«أجل».

«ماذا تعمل؟».

«رجل أعمال. مكتبي يقع في شارع بوند Bond Street».

«هل يمكنني رؤية رخصة العمل؟».

قدّمها له مع بطاقة الإقامة الدائمة «أنا أُقيم في بريطانيا منذ خمسة وعشرين عامًا».

نادى الضابط على الشرطي الواقف، طلب منه تصوير الوثائق، تابع أسئلته «متى اختفت ابنتك تحديدًا؟».

أول من أمس. اكتشفنا اختفاءها حوالي الثامنة مساءً ولم تعد حتّى هذه الساعة!».

«كم يبلغ عمرها؟».

«في الواحد والثلاثين من شهر ديسمبر الفائت، أتمّت ثلاثًا وعشرين سنة».

«معنى هذا أنّ عيد ميلادها يوافق ليلة رأس السنة!! هل لديها صديق، Boy friend؟».

تجهّم وجه مساعد، امتعض من سؤال الضابط، أجاب بغيظ «لا. ليس لديها صديق».

«هل أنتَ متأكّد؟! هناك حالات اختفاء كثيرة من الجنسين، نكتشف في نهاية التحقيقات، أنّ سببها يعود إلى وجود صديق أو صديقة».

جزَّ على أسنانه «نعم متأكّد».

«هل حدثت مشادّة كلاميّة بينك وبين ابنتك في المدة الأخيرة؟».

«لا... لم يحدث شيء من هذا القبيل».

«هل تركت أثرًا خلفها؟».

«ماذا تعني؟».

«أقصد أنّ بعض الفتيات عندما يُقرّرن ترك منازل ذويهنّ، يُخلّفن وراءهنّ رسائل مقتضبة».

أجابه متحاشيًا النّظر في عينيه «لا... لم تترك شيئًا».

«هل أنتَ على وفاق مع ابنتك؟».

«لم أفهم مغزى سؤالك!».

«أعني هل أنتما متفاهمان؟ أنتَ تعلم بأنّ مشاكل كثيرة تحدث بين الآباء والأبناء في هذه المرحلة من عمرهم».

علت وجهَه صفرةٌ خاطفة سرعان ما قشعها، قائلًا بصوت خافت «أُؤكّد لك أنّ علاقتنا يسودها الاحترام والمودّة والحبّ».

أدار فيه الضابط ناظريه، حدّجه بنظرة متفحّصة، مشيرًا إلى صورة الفتاة «هذه الصورة لا تفي بالغرض. هل لك أن تُعطينا أوصافها بدقّة».

«طولها 165 سم. قمحيّة البشرة. رماديّة العينين. شعرها بنّي يميل إلى السّواد. وزنها يتراوح ما بين 60 و65 كيلوغرامًا».

«معلوماتك تُوضّح أنّ ابنتك لم تنم في البيت ليلتين. هل اتّصلت بجميع أصدقائها، صديقاتها؟».

«منذ اللحظة التي علمتُ فيها باختفائها وأنا لم أكلّ من البحث عنها. لم أبلّغ إلّا بعدما استنفدتُ كلَّ محاولاتي. اتّصلتُ بجميع الأرقام المدوّنة في دليل هاتفها الشخصي. طفتُ على بيوت زملائها وزميلاتها. لم أترك أحدًا لم أسأله عنها. للأسف، الجميع نفى رؤيتها».

«ما اسم ابنتك، وهل تُجيد اللغة الإنجليزية؟».

«اسمها سارة. مولودة هنا. تلقّت تعليمها في لندن. تُتقن اللّغة الإنجليزية كأيّ مواطنة بريطانية».

«إذا سمحت دوّن رقم هاتفك وعنوانَي سكنك ومكتبك، وسنتّصل بك حالما تتوفّر لدينا معلومات عنها».

«أشكرك شكرًا جزيلًا».

* * *

لم يستطع مساعد الذهاب إلى مكتبه، اتّصل بسكرتيرته، طلب منها إلغاء مواعيده كافّة، كانت جمجمته تنوء بحمل حشوة ملغومة من الغضب، قد تنفجر في أيّ لحظة مُحدثة دويًّا هائلًا، أقدام الهموم تدوس بقسوة على أرضيّة نفسه، أحسَّ بحاجته إلى الانزواء، أضاف نقودًا أخرى في عدّاد موقف سيارته، مشى بقدميه باتجاه نفق محطة قطار ماربيل آرتش Marble Arch Tube Station، المؤدّي إلى حديقة الهايد بارك Hyde Park. كانت فارغة باستثناء قلّة من الناس، يتريّض بعضهم بالركض تلحقهم كلابهم، وعدد ضئيل من الفتية والفتيات تناثروا في أرجاء الحديقة، وقد تمدّد كل اثنين في أوضاع مثيرة، تحت جذوع الأشجار العتيقة السميكة الأغصان. أكمل طريقه دون اكتراث، لم يحسّ جسده بلسعة الصقيع، كانت براكين من الثورة الممزوجة بالمهانة تغلي في أعماقه، شياطين الغلّ تتراقص أمامه، لاح له مقهى ديل Dell، تجاهل رغبته الماسّة في احتساء كوب من القهوة يطرد به الصداع الذي دهَمَه فجأة، أرخى إليتيه على أحد المقاعد المثبّتة مقابل بحيرة Serpentine، رمى بصره في أرجاء المكان، أخذ يُلاحق بعينين ذابلتين زوجين طاعنين في العمر، جالسين على المقعد المجاور لمقعده، الشيخوخة تطلُّ من جلديْ جسديهما المجعّدين، مبرهنة على دهس السنين على شبابهما، لاحظ انهماكهما برمي فتات الخبز للبط العائم قرب شاطئ البحيرة، وقد طفح السرور على غلالتي وجهيهما. أطلق زفرة طويلة، أحسّ بالغيرة، تمنّى لو يستطيع سرقة جزء

ضئيل من استكانتهما، غرق ثانية في همومه، ترك يمَّ الصدمة الذي وقع في دوّامته يُطوّح به يمينًا وشمالًا. لم يدرِ ماذا يفعل بالمصيبة التي حلّت به!! لقد تحايل على الضابط، لم يخبره عن الشجار الذي وقع بينه وبين ابنته سارة في اليوم الأوّل من رأس السنة الجديدة، كانت أوّل سابقة في عمره، يرفع فيها يده على ابنته، لم يدرِ بنفسه إلّا وهو يصفعها صفعة قوية على وجهها بعد عودتها إلى البيت ظهيرة اليوم التالي، لم يذق هو ووالدتها النوم طوال الليلة السابقة، جهاز هاتفها كان مغلقًا، نفت جميع صديقاتها المقرّبات وصاحباتها معرفتهنّ بمكانها، خافا أن يكون مكروهٌ ما قد أصابها، أو تعرّضت لحادثة في الطريق بسيارتها. لحظة دخولها كان الإنهاك وآثار السهر باديين على محيّاها، خرج عن طوره، صرخ فيها «أين كنتِ يا بنت الكلب؟!» أجابته بلغة مستفزّة لم يعتدها فيها «أنا لم أعد قاصرًا لأقدّم لك تقريرًا عن تحرّكاتي اليومية. أمس كان عيد ميلادي الثالث والعشرون، يعني أنا في نظر القانون راشدة». أصابه مسّ من الجنون، شدّ شعرها، انهال عليها ضربًا، قالت له وهي تجهش بالبكاء «بإمكاني الاتصال بالشرطة الآن ليأتوا ويأخذوك. ما تقوم به تصرّف غير قانوني». تفاقم غضبه من كلامها المصبوغ بالتّهديد، لم يرَ ابنته بهذه الوقاحة من قبل، ظنَّ أنّها تخدش أبوّته باستهتار متعمّد، لم ينتهِ الأمر إلّا حين وقفت زوجته أمامه، ترجّته أن يكفَّ عمّا يفعله، وإلّا ماتت ابنته بين يديه. رمى جسده المتهالك على الأريكة، غفت عيناه، شقَّ ستاري أذنيه صياح زوجته، قائلة بنبرة جزعة «مساعد... سارة ليست في غرفتها. لقد خرجت من البيت. انظر... لقد تركت جواز سفرها وأُقصوصة صغيرة كتبت فيها «لا تبحثوا عنّي». أمسك بجوازها غيرَ مُصدّق، تكالبت عليه الهواجس من كلّ صوب، وضع معطفه على جسده في عجل، سيطر عليه شعور مميت، بأنّ نبضات عقله قد توقّفت عن الدوران،

مع عقارب الساعة التي كانت تُشير حينها إلى الثامنة مساءً، أهدر الوقت الذي أعقب اختفاءها في السؤال عنها، وفي ارتياد الأماكن التي اعتادت التردّد عليها.

أرجعته إلى حاضره بطبطة البط العائم في البحيرة، تسرّبت إلى أعماقه قطرات من اللوم، أنّه السبب في ما آلت إليه أحوال أسرته، كانت انشغالاته تضطرّه إلى التغيّب طويلًا عن البيت، ترك أمر متابعة شؤون منزله ورعاية بناته لزوجته، استحضر عبارتها التي اعتادت سكبها على مسامعه بين حين وآخر، منذ أن وصلت بناته إلى سنّ البلوغ «مساعد... أطياف صارت تزورني كل ليلة في أحلامي. أصوات لا أعرف مصدرها تخترق طبلتي أذنيّ. تُحذّرني من فداحة الغربة». استخفَّ بكلامها، لم يعبأ بتحذيراتها، اتَّهمها بأنّها تُبالغ في هواجسها، تهوّل الأمور كعادتها، لا تقيس المسائل بأكثر من المسافة التي تفصل بين عينيها وأرنبة أنفها، كانت زوجته في كلّ مرّة، تلملم على مضض قلقها، وترشقه بنظرات عتاب ساخنة، تاركة مفاجآت الزمن تُعزّز مخاوفها!!

أخذ يُقرّع ذاته، يُخضعها لقائمة من الاستجوابات الصارمة... هل أخطأتُ في تقديراتي؟! هل ارتكبتُ خطأً فادحًا، حين لم أُصغِ لمخاوف زوجتي؟! هل تعلُّقي بهذه الأرض، أعماني عن رؤية الواقع؟! لماذا تركتُ سنوات العمر تجرفني إلى الجهة التي تريدها؟! ألم تكن مجريات حياتي تستلزم منّي أن أقف في مواجهتها، أو على الأقل أن أحتاط منها؟!

* * *

جاء مساعد إلى بريطانيا ضمن الطلبة الذين ابتُعثوا لتكملة دراستهم في الخارج، كان حينها في الثامنة عشرة، درس الاقتصاد في جامعة

كمبريدج University of Cambridge، لم يكتفِ بالشهادة الجامعية بل حرص على تتويجها بالماجستير والدكتوراه، قفل راجعًا إلى الرياض وهو على مشارف الثلاثين. في كل مكان يخطو فيه، كانت أجواء إنجلترا تنفذ لخياشيمه، تُحاصر تفكيره، صار يشعر بغربة موحشة بين أهله وعشيرته، لم يعد قادرًا على مجاراة أصحابه في أحاديثهم. رفاقه الذين تركهم في مستهلّ صباه، انحلَّ حبل الانسجام بينه وبينهم. قال له واحد من رفاق طفولته الذين لم تنقطع صلته بهم «ما بك يا مساعد؟! هل تعلَّمت شحّ الكلام من عشرتك الطويلة للإنجليز؟!». لم يقف والده في وجهه حين أعلن رغبته في الاستقرار في بريطانيا وبدء حياته العملية فيها، كان رجلًا واقعيًّا، دهكته الأيام بتجاربها، سخّر عمره في تضخيم تجارته، قال له حينها «هذا شأنك. سأنفحك مبلغًا من المال تبدأ به حياتك. أنا لستُ خائفًا على مالي، فالذي يُنجب لا يموت. إخوتك حريصون على تكملة ما بدأته». أصول والديه تعود إلى منطقة القصيم، ورث والده تجارته أبًا عن جدّ، انتقل إلى الرياض في مستهلّ شبابه، اتّخذها مركزًا لنشاطه، في خلال سنوات تضخّمت ثروته. لمساعد أربعة إخوة ذكور، كان ترتيبه الثالث بينهم، حملت أمّه تسع مرّات، لم ينجح من حملها سوى خمس، كلّها ذكور، والباقي سقط أجنّة في شهور الحمل الأولى. سعى أبواه وقتها لمعرفة السبب، لم يصلا إلى تفسير مقنع من الأطبّاء، اتّفقوا جميعهم على أنّها إرادة السماء. ظلّت علاقته بإخوته متماسكة، لم تستطع المسافات البعيدة التقليل من دفئها، ساعدتهم روابط الدم على تجاوز خلافاتهم البسيطة. حضرت والدته في فكره، تذكّر كيف بكت بحرقة حين تأكّد لها أنّه لن يتراجع عمّا خطّط له، حاولت ثنيه عن قراره، اللعب على أوتار الأمومة «الناس يهمسون في أذنيّ محذّرين بأنّ الذي يذهب إلى هناك لا يعود، وأنا لم أُنجبك لكي تعيش بعيدًا عنّي. لماذا لا تنتظر

حتّى يُغيّبني الموت وتفعل بعدها ما يحلو لك؟!». استسلمت صاغرة، رضخت على مضض لإرادته العنيدة، وجدت أنّ محاولاتها لن تُجدي معه، اختارت له فتاة من قريباتها تصغره بعدّة سنوات، حاصلة على شهادة الثانوية، لتصبح زوجة له، وقالت له وهي تضمّه لصدرها ليلة عرسه، والفرحة تفرد أشعّتها على صفحة وجهها «أردتُ تحصينك قبل أن ترحل. على الأقل ليبقى داخل قلبي بريق من الأمل، أن يُحرّضك نصفك الآخر على العودة يومًا».

حرص كل عام، وحتّى بعد أن فارق والده الدنيا قبل سنوات ليست بالقليلة، على قضاء إجازة الصيف في الرياض، كانت أمّه تضمّ بناته بين ذراعيها بشوق عارم، قائلة له بابتسامتها الحانية «بناتك سيدفعنك للعودة عاجلًا أو آجلًا. صحيح أنا امرأة جاهلة لم أتعلّم ولم أدخل كُتّابًا، لكنّني أعرف ما يجري هناك، من خلال حكاوي الأهل، وما تعرضه قنوات التلفاز. آه يا ولدي... كم أتمنّى أن يمتدّ بي العمر لأراك مستقرًّا بأرض أجدادك».

أطلق زفرة حارّة، ترحّم عليها، كانت قد ماتت دون أن يستجيب اللّه لدعائها، مثل دعوات كثيرة يكلُّ البشر من ترديدها في صلواتهم، ويرى اللّه أنّ تحقيقها ليس في مصلحتهم، أو أنّها أمانٍ لم يأتِ أوان قطافها بعد. لم يشعر بمضيّ الوقت، أخذت رياح الماضي تعصف به، كرّ أمام عينيه شريط الذكريات، استعاد ذكرى ولده عبد الرحمن، كان قد مات في سنّ السابعة بعدما أصابته حمّى قاتلة لم يتحمّلها جسده النحيل، بعد موت ولده غطس زمنًا في خضمّ الأحزان، استعاد بعدها وعيه مسلّمًا أمره للمقدّر والمكتوب. لم يكن من الذين يحملون في دواخلهم عقدة الحصول على الابن الذكر، كانت زوجته على نقيضه، تملأها الرغبة في إنجاب الولد، الذي سيضمن تناسل الأسرة، ويرعى أفرادها حين تدهكهم أمراض الشيخوخة المزمنة، وقتها كانت سارة

في الثامنة، ومشاعل في الخامسة، أصرّت زوجته على تكرار تجربة الحمل مرّتين، نجحت الأولى في إخراج ابنته العنود للدنيا، والثانية فشلت، كفّت من لحظتها عن الجري وراء أمنيتها، أدركت أنّ الله أرسل لها رسالة حازمة لترضى بما قسمه لها.

كثير من أصدقائه حرّضوه على الزواج بأخرى صغيرة، يُجدّد بها شبابه. لم يكن بحاجة لامرأة تُحفّز ذكورته، أو تُؤكّد له على طول الخط انتماءه لعالم الفحولة، كان ينظر إلى زوجته على أنّها عملة نادرة بين النساء، في شخصيّتها المسالمة، الحكيمة في قراراتها، أحيانًا وهو يتأمّلها وهي منهمكة في شؤون البيت، أو مستغرقة في الحديث مع بناتها، يُلاحقه إحساس لئيم، بأنّ عجلة الزمن توقّفت بها عند ليلة عرسهما، باستثناء آثار سنوات العمر التي تركت خطوطًا واضحة على ملامحها وتضاريس جسدها. في الأعوام الأخيرة بدأت تُطلق شخيرًا أثناء نومها حار في فهم مسبّباته، دفعه إلى النوم في غرفة منفصلة. بين فينة وأخرى، عندما تلحُّ عليه حاجته، يدسّ جسده في مخدعها. لم يكن لزوجته أيّ مطالب شخصية، لا تتدخّل في خصوصيّاته إلّا إذا استلزم الأمر تدخّلها. تملك أسلوبًا سحريًّا في إقناع زوجها بكل ما يتعلّق بمطالب بناتها أو بحاجيات البيت. لم ترفع يومًا صوتها في وجهه، لم يصل الشجار بينهما منذ اليوم الأول لزواجهما، الذي بدأ منذ عقدين ونصف، إلى مرحلة القطيعة. لاحظ أخيرًا شعاع احتجاج ينبثق من بؤبؤي عينيها وإن ظلّ رابضًا. لم تكن زوجته جميلة وأيضًا لم تكن قبيحة، كانت تقف في صفّ المعتدلات من النساء، أهمّ ما يُميّزها وهج التسامح الذي يسترخي في أرضية عينيها، وعنبريّة نفسها التي يلمسها كل من يقترب منها. أحيانًا، كانت تخطر أمنية عابرة على باله... لماذا لم يحظَ بزوجة باهرة الجمال؟ لكنّه لم يعَفْها يومًا، ولم يفكّر في هجر فراشها، حتّى بعدما تخلّى ثدياها عن

عنفوانهما، وتكوّنت تعرّجات على سطوح أردافها. في سنوات شبابه الأولى، حين توجّس من الانزلاق في مجرى المحرّمات، ارتبط بزميلة له في الجامعة، قال لها إنّه سيتزوّجها بالطريقة التي كان يتّبعها أسلافه، بشهادة اثنين من أصدقائه، صارحها بأنّه زواج وقتي، لن يُثمر يومًا أطفالًا، ولن يكون ما بينهما عهدًا أبديًّا!! لم تناقشه في معتقده الديني، كانت هي الأخرى لا ترغب في أن تستكمل عمرها في بلد يعيش أهله في صحراء قاحلة، ويركبون الجمال، ويرعون الأغنام، أبقاها على تصوّراتها، رأى أنّه الأسلم لكليهما، وضعا فصل النهاية لزواجهما مع تخرّجهما من الجامعة. سافرت إلى أميركا بعدما جاءها عرض مغرٍ للعمل هناك، كموديل في واحدة من شركات الأزياء العالمية. قالت له وهي تودّعه: «جميل أن نُمزّق بسلام وثيقة فراقنا، دون معارك ضارية». قبّلته على صدغه قبلة خاطفة، وعلى وجهها ترتسم ابتسامة صافية، ثمّ أدارت له ظهرها ومضت.

في مرحلة نضجه، لم يكن من الذين اعتادوا الانقياد خلف شهواتهم، حمد اللّه أنّه لم يتعرّض للوثة منتصف العمر، التي تُصيب أغلبية الرجال. في مرات كثيرة، يحيطه أصدقاؤه بسؤال له مغزى خبيث، إن كانت له صديقة أوروبية مثل الكثير من رجال الأعمال، الذين يتنقّلون بين مدن العالم من أجل إنجاز صفقاتهم بصحبة عشيقاتهم... كانوا يتعجّبون من ردوده الحازمة، ورفضه إقامة علاقة في الحرام مع أيّ امرأة مهما كان إغراءات أنوثتها، جازمًا بأنّ جميع النساء يتشابهن حين ينطفئ النور ويعمّ الظلام. له صديق معروف بعشقه للنساء، يُعلّق على عبارته بنبرة ضاحكة «يا صاحبي، إمّا أنك تُكابر، وإمّا أنّك تخدع نفسك!! النساء مثل أنواع التبغ، هناك من تُدمن تدخينها منذ الوهلة الأولى. وهناك من تعافها نفسك عند أول نفس تسحبه منها. وهناك من تميل بين آونة وأخرى إلى الرغبة في تذوّقها حين تمرّ في خاطرك».

لم يُحسّ بمرور الوقت، كانت الساعة قد قاربت الرابعة، بدأ ضوء النهار ينحسر بخفّة، تاركًا العتمة تدبّ بأقدامها الثقيلة على مساحة الحديقة، نظر حوله، ألفى نفسه وحيدًا بعدما خلت من الأجساد، وقف متحاملًا على نفسه، أحسّ بقشعريرة البرد تقرص بدنه، أحكم المعطف على جسده، كانت الهموم تقرضُ همّته بلا توقّف، حقن أوردته بشيء من العزم، نجحت دمعتان في التملّص من مجرى عينيه، أزاحهما بسطح كفّه «أهذه دموع!! سامحك اللّه يا سارة» ردّد بصوت منكسر النبرة.

استقبلته زوجته جزعة، تكاد روحها تُزهق من الهلع، الغمّ يقفز من مساحتي عينيها، تعابير الأسى مرسومة على صفحة وجهها، أهطلته بوابل من الأسئلة «هل وجدوها؟! ماذا قالوا لك؟! هل ابنتي بخير؟!».

«اهدئي. سيتّصلون بنا بمجرّد أن تصلهم أخبار عنها».

خانها صبرها، انفلت عيار مقاومتها، أخذت تنتحب «هل فقدتُ ابنتي إلى الأبد؟! هل سأراها ثانية؟! آه يا مساعد، لماذا مددتَ يدك عليها؟! ابنتنا لم تعد صغيرة. لقد كانت زهرة هذا البيت».

«كفّي عن الندب يا امرأة... هل كنتِ تريدين منّي غضّ الطرف عن بياتها خارج البيت؟! ليتهم يأتونني بخبر موتها لأرتاح».

«أتوسّل إليك لا تُردّد هذا القول ثانية. كلّ ما أودّه أن أرى ابنتي ماثلة أمامي».

كانت مشاعل والعنود تقفان بجانب أمّهما، ملامحهما متيبّسة، الذعر يفترش صفحتَي وجهيهما، وقد اعتصر فؤاديهما جزعًا على أختهما، لم تجرؤ أيٌّ منهما على التفوّه بكلمة. نظر والدهما صوبهما بمجامع عينيه، رشقهما بنظرات الملامة، داهمه فجأة صداع عنيف نسف رأسه، صرخ بأعلى صوته، فتح عينيه، ألفى نفسه ممدّدًا على

أحد الأسرّة البيضاء في مستشفى لندن كلينيك London Clinic، زوجته وبنتاه، يُحطن به.

سأل زوجته بنبرة متهالكة... «ماذا حدث؟! لماذا أنا هنا؟!».

«أخبرنا الطبيب أنّ ضغطك ارتفع فجأة، ولولا وصول سيارة الإسعاف في الوقت المناسب لتعرّضتَ لجلطة دماغيّة».

مرّ عليه الطبيب، نصحه بأن يخلد للراحة، محذّرًا إيّاه من مغبّة التعرّض لانفعال آخر، وفارضًا عليه وجوب الابتعاد عن أيّ منغصات وإلّا فستكون العواقب وخيمة. كان يستمع للطبيب وفكره شارد، سأل زوجته إن كانت قد تلقّت اتصالًا من مخفر الشرطة. أجابته بعبارة مقتضبة «لا». أملى بالهاتف على سكرتيرته ما يجب عليها فعله في الأيام المقبلة، حاول طرد توتّره، تجمّد مخزون ذاكرته في ركن قصيّ، أطبق جفنيه، استسلم لسلطان النوم.

* * *

مكث مساعد في المستشفى ما يُقارب الأسبوعين، كانت أيّامه تمضي موحشة، تُسيطر عليه مشاعر مبهمة، أنّه يسير وحيدًا في صحراء قاحلة، تُحيط بها كثبان رملية تحجب عنه الرؤية. خلال تلك الفترة، اتّصل بالضابط مرّات عديدة. في المكالمة الأخيرة أجابه بتأفّف «أستاذ مساعد، لا داعيَ لاتصالك المتكرّر. قلتُ لك من قبل، إذا جدّ شيء نتّصل بك في الحال. أريدك أن تعرف أنّنا نتلقّى بلاغات يومية كثيرة، عن حالات فقدان لمراهقين ومراهقات أصغر سنًّا من ابنتك. إذا ركبت واحدة من الحافلات، فستجد لوحة إعلانات معلّقة فيها تحمل كلمة مفقود Missing، تُشير إليهم مع صورهم ومعلومات موجزة عنهم، مرّ على اختفاء بعضهم أشهر».

شعر مساعد بحاجته الماسّة إلى فترة نقاهة، بعدما أفتر المرض جسده، وهدَّ الإعياء بدنه. قرّر الانصياع لمشورة طبيبه، لحظة ولوجه إلى بهو البيت، داهمه دوار مفاجئ، ارتمى على الأريكة، طلب من زوجته ترك ستائر غرفة الجلوس المطلّة على الحديقة مفتوحة، ألحّت عليه فكرة تأمّل العالم الخارجي، ملاحقة خيط الشمس الباهت، الذي نادرًا ما يطلّ برأسه في موسم الشتاء، أدار الريموت كونترول، ضغط بإصبعه على زر لقناة غنائية، ملأت شاشة التلفاز صورة هيفاء وهبي تتغنّج بفستان أخضر مثير، أخذ يتنقّل بالمفاتيح بين قناتي الجزيرة والعربية، لاحظ أنّ موجة الاعتراضات التي حدثت بعد شنق صدّام خفّت كثيرًا، تحوّلت الأنظار إلى لبنان، الاضطرابات الحاصلة فيه، تأكيدات المراقبين أنّها حرب خفيّة بين السُنَّة والشيعة، تبادل الاتهامات حول تورّط إيران في إثارة الفتنة الطائفية، أحسّ بوجع في رأسه من كثرة التحليلات الإخبارية، لعن السياسة ومن ابتدعها، شعر بغصّة تقف في حلقه، حاول ازدرادها، طرد كلّ ما يُعكّر صفاء ذهنه، آه كم بات يُعاني وما يزال من تبعات هجمات الحادي عشر من سبتمبر!! لعن ذلك التاريخ، كلّ شيء انقلب منذ ذلك اليوم المشؤوم، كان مجتمعًا في مكتبه مع رؤساء الأقسام حين دخل مدير مكتبه قاعة الاجتماعات، يتقاطر الهلع من أساريره، قائلًا بنبرة مرتجفة «لقد هاجموا أمريكا!!». الكل هتف... من؟! من؟! حدث هرج ومرج في المكان، أدار التلفاز على قناة السي إن إن CNN، جميعهم شخصوا بأبصارهم نحو الشاشة، كانت صور حيّة تُظهر تدافع الناس وصراخهم لحظة انهيار البرجين، وتحوّلهما إلى ركام في لحظات خاطفة، تُوحي للناظر بأنّها مشاهد من فيلم «أكشن» أمريكي. من يومها صارت العيون ترصده، نظرات الاتهام تُلاحقه في أيّ بقعة تطأها قدماه، لم يشفع له مركزه الاجتماعي المرموق، ولا أناقته الإنجليزية الواضحة

للعيان، ولا شارباه ولحيته المحلوقان على الدوام، في تذليل الشكوك، ظلّت سحنته العربية دليلًا دامغًا على تورّطه كعربي ومسلم في ما أُطلق عليه في ما بعد مسمّى الإرهاب. هذه التغييرات أجبرته مكرهًا على المضي قُدمًا بقرار تصفية أعماله في بريطانيا. كان ينتظر على أحرّ من الجمر حصول ابنته العنود على شهادة الثانوية العامة، ليقفل راجعًا إلى بلده.

له صديق مُقرّب يُدعى جيم Jim، عمل مراسلًا صحافيًّا في عدّة دول عربية على مدار خمسة عشر عامًا، قبل أن يستقيل ويتفرّغ لدار النشر التي تُشاركه فيها زوجته الشاعرة ديبي Debbie. لجيم كرش بارز، يتهكّم بالقول أمام مساعد، إنّه يُفكّر في رفع قضية على البلدان العربية بأسرها، لأنّ مجتمعاتها تسبّبت بتغذية كرشه!! له عينان مدوّرتان لا يمكن التكهّن بما تُضمر نظراتهما. شكا مساعد لصديقه مناخ التعصّب والعنصرية، الآخذين في الانتشار ضدّ كل ما هو مرتبط بالإسلام. قال له يومها صديقه بنبرة تغلب عليها الجدّيّة، وهو يدسُّ إصبعه في فتحتي منخاره مخرجًا فضلاتهما «يا عزيزي، ماذا تريدنا أن نفعل؟! لقد أرهبتم العالم. بالتأكيد بينكم معتدلون كثيرون، لكنّكم لم تتركوا لنا خيارات أخرى. انظر إلى المخطّط الأخير الذي كانت تنوي القاعدة القيام به لتدمير مطار «هيثرو». إنّه ضرب من الجنون أن تُعاقب حكومة على ما تتّخذه من قرارات، بقتل أبرياء لم يكن لهم دور سلبي في الأحداث التي جرت. نعم أوافقك في أنّ حكومتنا منحازة لهذا الغبيّ المسمّى بوش، الذي يريد توريط العالم في المزيد من الخراب والدمار، لكن هناك قنوات حوارية من الممكن أن نتعاون فيها معًا، نقضي بها على ظاهرة العنف والتطرّف».

«جيم. أنا رجل أعمال ليس لي دخل في دهاليز السياسة القذرة، ولو كان الأمر بيدي لأضرمت النار في السياسيين كافّة،

وتركتُ العالم يحلّ مشاكله بمفرده دون خطط أو مؤامرات أو دسائس تُحاك في الخفاء».

ضحك جيم، أزاح إصبعه عن فتحتي منخاره، أرخى يده، أخذ يحكّ خصيتيه متابعًا «نحنُ لا نعيش في غابة يا صديقي. العالم بأسره يحتاج إلى ضوابط تحمي إنسانيّته وتُقنّن احتياجاته. في عالمكم العربي يتمّ الأمر بطرق وحشية، أما عندنا فيجري بأساليب حضارية، وهو ما أدّى إلى اتساع الهوّة بين مجتمعاتنا ومجتمعاتكم الرجعية. انظر لنفسك. لماذا آثرت الغربة؟! لماذا اخترت العيش هنا كل هذه السنوات!! أليس لأنّك تشعر بأنّ الكثير من الأمور الراسخة في فكرك، من المستحيل أن تجدها في مجتمعك، أو في أيّ مجتمع عربي آخر؟!».

«ولماذا لا تقول إنّه التعوّد على نسق معيّن من الحياة، يجذبك إليه لدرجة أنّه يمنعك من السير خطوة، دون أن يتسرّب عبق نسائمه إلى خياشيمك. إنّه الحبّ فقط يا صديقي الذي يربطني بهذه الأرض. صدمتي في حبّي هي التي تُرغمني اليوم على اتخاذ قرار نهائي، في ترك الأرض التي ما زلتُ أعشقها. لو قالوا لي ماذا تريد أن تحمل معك، لقلتُ ألبوم صور لمبانيها العتيقة، ومسارحها العريقة، وحدائقها الجميلة، أقلّب صفحاته كلّما شعرت بالحنين للبلد التي أدمنتُ كلّ ما فيه».

«إذًا ابقَ. لم تقل لك الحكومة يجب أن تترك بلادنا. وطننا فيه متّسع للجميع».

«هل تعتقد بأنّ الذي يُحب أرضًا يكتفي بالعيش فيها، وهو مُكبّل بنظرات الاتهام. الحب تواصل، ثقة متبادلة. يا صديقي... لا يمكن أن يتنفّس عاشق ولهان بعمق، في أرض غريبة تتّهمه جزافًا بالخيانة العظمى، وتزجّ باسمه عند وقوع مصيبة في أيّ ركن من العالم وعند كل منعطف!!».

«أنا لا أعترف بهذا النوع من الحب المجاني. مشكلتكم أيّها العرب أنّكم تربطون الحب بالعواطف المندفعة. أوافقك الرأي في أنّ الحبّ يجب أن يكون مُحاطًا بأسوار من الثقة المتبادلة، لكنّه لا يمكن أن يقوم على النيّات الحسنة فقط!! لماذا نحب هذا البلد أو ذاك تحديدًا!! أليس لأنّنا نجد فيه ضالتنا وأحلامنا؟ أليس لأنّه يفتح لنا ذراعيه ويقول لنا أنا وطنكم الذي لن يخذلكم؟ لا تظن أنّني مع حكومة توني بلير، لكن في بريطانيا توجد ديمقراطية حقيقية، بإمكانك المطالبة بإسقاط الحكومة بالتصويت ضدّها وفضح عيوبها. لقد رأيتُ بأمّ عينيّ كيف يجري التلاعب بالانتخابات النيابيّة والرئاسيّة في بلدانكم. الرؤساء عندكم يبقون في كراسيهم إلى ما شاء اللّه!! وينتهي مصير من يُفكّر في ترشيح نفسه إلى تلفيق التهم له، ورميه في غياهب السجون ليُصبح عبرة لغيره، وهو ما أسهم في رواج شعار الترهيب، ليتعلّم كلّ مواطن عربي كيف يدفن تطلّعاته في خزانة ملابسه، دون أن يُفكّر ولو لهنيهة في التفاخر بها أمام الملأ».

«لكن بلادكم فيها فساد أيضًا!!».

«لا أنكر، ولكن هناك أيضًا شفافية. في أوطانكم يخرج الوزير من الوزارة مليونيرًا، وقد نهب حقوق المواطن دون أن يتعرّض للمساءلة!! في أوطاننا الوزراء الشرفاء بعد أن يخرجوا من الوزارة، يعودون إمّا إلى الجامعات كأساتذة، يعرضون تجاربهم لتستفيد منها الأجيال الصاعدة، أو ينضمّون إلى حزب معيّن، أو ينخرطون في لجان حقوق الإنسان».

«حتّى ورقة الديمقراطية يجري أحيانًا التلاعب بها، عندما تتعارض مع مصالح بريطانيا العظمى كما تقولون!!».

«حسنًا، لن أجادلك في هذه النقطة. لكن انظر إلى أعداد اللاجئين من أجناس عربية وغير عربية. من مسلمين ومسيحيين

ينتمون إلى طوائف متعدّدة. تأتي غالبيتهم إلى أرضنا هربًا من بطش حكوماتهم، وبرغم ما تُخصّصه لهم الحكومة من مرتّبات شهرية، ومساكن خاصة، يشتمونها في عقر دارها، وينعتونها بأقذع الشتائم. أعطني بلدًا عربيًا واحدًا كريمًا مع ضيوفه الذين يقيمون على أرضه، لا يلفت أنظارهم بين حين وآخر إلى وجوب أن يكونوا مؤدّبين، حذرين في خطواتهم، وأن يبتعدوا عن تصرّفاتهم الطائشة، هذا إذا لم تضع لهم شروطًا تعجيزيّة مقابل موافقتها على وجودهم على أرضها».

«إذًا أعطني تفسيرًا واحدًا لسكوت المجتمع الدولي عمّا يجري داخل فلسطين المحتلّة؟! إن قُتل إسرائيلي واحد قامت الدنيا ولم تقعد، ونـدّدت الحكومات الغربية بهذه العملية الوحشية، بل ولم تتورّع عن نعت الفلسطينيين بأبشع الصفات وبأنّهم شعب لا يرغب في السلام!! أما إذا حدث العكس، وقُتل أطفال ونساء وصبية صغار على يد الجيش الإسرائيلي، تُعلن أسفها مبرّرة أنّ ما وقع كان ردّة فعل!! أليس هذا تناقضًا يا صديقي؟! العدالة لا تعرف التمييز!!».

ردّ وهـو مستمرّ فـي حـكّ خصيتيه «ولـمـاذا أغـفـلـتَ ذكـر الجمعيات الحقوقية العالمية، التي تشنّ حربًا لا هوادة فيها، على سياسة إسرائيل العنصرية؟! يجب عليك أن تنظر للأمور من أوجهها كافة، حتّى لا تقع في حفرة التعصّب!! ثمَّ...».

قاطعه مساعد قائلًا بنبرة فضول «أما زالت هذه الحالة المرضية مستمرّة معك؟! هل راجعت الطبيب؟!».

أطلق جيم ضحكة مجلجلة «لا تقلق يا صديقي العزيز. كلّ ما في الموضوع أنّ لديّ حساسية مفرطة من عفونة السياسة!! لقد أصابتني الحكّة فيهما مع بداية عملي في منطقة الشرق الأوسط. بداية لم أكترث لها، لكنّني بدأت أقلق بعد أن صارت تنتابني كثيرًا أثناء فترة عملي. قال لي الطبيب إنّها حالة نفسية قد تنشأ من توتّر

أو ضغط. راقب نفسك لتكتشف ما الذي يُهيّجهما. لاحظتُ أنّني كلّما انخرطتُ في تدوين تقاريري الصحافية، عمّا يجري في الأبواب الخلفية بأوطانكم العظيمة، ازدادت سوءًا!! بعد خمسة عشر عامًا من الخيبات المتكرّرة في إمكانية تغييركم، قرّرتُ الاستقالة. خفت أن أصاب بتقرّحات مزمنة لا ينفع معها أيّ نوع من العلاجات، وأفقد على أثرها فحولتي التي بالكاد تتنفّس بالمقويّات!!».

سرح مساعد في عبارة جيم «قد يكون معك حق، فالسياسة عالم وقح كلّ شيء فيه مُباح!! لا تندهش إذا قلتُ لك إنّني في صغري تمنّيتُ أن أُصبح كاتبًا أو روائيًّا، ولي محاولات قصصية وشعرية كتبتها في سنوات شبابي الأولى، ما زلتُ أحتفظ بها في أدراج مكتبتي الخاصة». ثم تابع بنبرة ساخرة «ربّما أطلعتك يومًا عليها، فقد تجد فيها ما يُغريك بنشرها وتُصبح بفضلي مليونيرًا. كنتُ شغوفًا بقراءة الروايات العاطفية والبوليسية، العربية منها والعالمية، لكنّني صرتُ مُقلًّا في قراءاتي نتيجة زحمة انشغالاتي. أتذكّر من جملة الروايات العربية التي قرأتها، رواية «الراقصة والسياسي» وهي لأديب مصري كان مشهورًا في أوساطنا الأدبية في فترة الستينيات والسبعينيات اسمه إحسان عبد القدوس. ما زالت أحداث هذه الرواية عالقة في ذهني. مثّلت فنانة مصرية اسمها نبيلة عبيد، انبهرت بجمالها في شبابي، دور البطلة، بعد تحويل أحد المنتجين القصة إلى فيلم سينمائي. تقول الراقصة بطلة الرواية لصاحبها الوزير «لماذا تمنعني من إقامة مدرسة للأيتام؟!» يجيبها «لأنّك راقصة، جمعتِ أموالك من هزّ جسدك المثير وتحريك غرائز الناس». تردّ عليه «جميعنا نرقص يا معالي الوزير!! الفرق بين وبينك هو أنّني أُعبّر عن نفسي بهزّ جسدي، وأنت تُعبّر عن نفسك بهزّ لسانك!! ببساطة شديدة الفارق يكمن في نوع الرقصة التي يُقدّمها كلّ منا للناس!! إنّ السياسي الناجح هو ذلك

الذي يرقص رقصة «الاستربتيز». وهي رقصة تتطلّب من الراقصة أن تخلع ثوبها إلى أن تُصبح عارية. كذلك السياسي مطلوب منه أن يخلع ثيابه الاجتماعية قطعة وراء قطعة أمام الناس لينال رضاهم!!».

* * *

مرّت عدّة أسابيع على اختفاء سارة، الشتاء جاء دافئًا هذا العام مقارنة بالعقود الماضية، لكن في نهاية الأسبوع الثاني من شهر فبراير، بدأت ندف الثلوج تتساقط على مدى أيام، تراكمت في الطرقات، فردت رداءها على أسطح المباني، غطّت أغصان الأشجار، كأنّ الطبيعة لديها رغبة صادقة في التطهّر من نزقها، بارتداء حلّة ناصعة البياض. كان مساعد في مكتبه، غارقًا في دوّامة ماضيه، أخذ يُتابع عبث الطبيعة مع طقس الشتاء، تذكّر ابنته، كم كانت تُحب اللعب بندف الثلج، تكوّرها حتّى تصبح كتلة كبيرة وتدحرجها إلى أن تصطدم بجذوع الأشجار الكبيرة، الواقفة بشموخ في حديقة الريجنت بارك Regent Park. رنّات ضحكاتها الطفوليّة تحضر بقوّة في ذهنه، خواطر حزينة تدقُّ راسه دقًّا... تُرى أين هي الآن؟! ماذا تفعل؟! ألا يلحّ عليها الشوق لرؤية أهلها؟! تُدرك أنّها الأثيرة لديه. لم يألفها قاسية القلب. يعلم أنّ بداخلها فيضًا عارمًا من الحنان والعطاء. آه كم أصبح البيت موحشًا من دونها، كأنّها انتزعت روحي معها. كانت دافعه الحقيقي لامتلاك هذا المنزل، اشتراه لقربه من حديقة الريجنت بارك، حيثُ تعوّدت تمضية وقتها. تهالك على مقعده، ترك وخزات الألم تشكُّ أعماقه، أحسَّ بأنَّ الغمّ سيقضي عليه، وهو يرى عرى صبره تبلى يومًا بعد يوم. انكفأ بعينيه على الأوراق المبعثرة أمامه، تحرّر فكره قليلًا من ثقل أحزانه، عقد اجتماعاته المهمّة، نظر إلى ساعته، كانت تشير إلى الخامسة والنصف، انصرف الجميع، لم يبقَ سواه في المكتب، صار

يحمل همّ رجعته، لم يعد قادرًا على مواجهة عينيْ زوجته المثقلتين بالوجع، الممزوج بالتقريع الصامت، كلّما أحسّت بوقع خطواته داخل البيت، تُلاحقه نظراتها الطافحة بكمّ من التساؤلات المكبوتة «هل وجدوا ابنتي؟!». كان الظلام قد افترش مدينة الضباب، الطرقات تُوحي بالملل والضجر، الثلج المتراكم أعاق حركة السير، بعد جهد جهيد وصل إلى شارع منزله، ما إن أوقف سيارته في المرأب حتّى قفزت سارة من جديد على سطح تفكيره، عادت صورتها تلحّ في ذهنه، عيناها الناضحتان بالبراءة والشقاوة اللذيذة، مقالبها الطفوليّة، ترقّبها لحظة عودته، تعلّقها برقبته، سؤالها الاعتيادي له... ماذا جلبتَ لي؟!، إغراق وجهه بالقبلات كلّما دسَّ في كفّها قالب «الغالكسي»، الشوكولاتة المفضّلة لديها.

خلا البيت من لمسات الفرح، لم تعد تصدر من حجراته ضحكة، أو تضجُّ أركانه بأحاديث طريفة، كان غارقًا في سكون قاتل، كأنّ عدوى الكآبة حلّت على ساكنيه كافة. ابنتاه مشاعل والعنود صارتا تتجنّبان الالتقاء به، تتعمّدان الانزواء في غرفتهما، وفي وقت الغداء الذي يُتيح لهم التجمّع حول المائدة، كان كلّ فرد يغمس نظراته في صحنه، محاولًا قدر استطاعته تفادي عيون الآخرين. عندما كان يلفح وجهه زمهرير الشوق، يتسلّل إلى غرفة سارة، يُطالع صورها المرصوصة على رفّ مكتبتها الصغيرة، هنا في هذه الصورة كان عمرها سنة، وهذه سنتين، وتلك ثلاثًا، أما هذه فأخذها لها في عيد ميلادها العاشر. يُمسك بين يديه صورة حفل تخرّجها من الجامعة، وهي مرتدية الروب الأسود، يتهلّل وجهه، تطفح فرحة عابرة على تقاسيمه، سرعان ما تذوي.

أحيانًا كثيرة يُجافيه النوم، يبيت لياليَ طويلة في صحبة السهاد، يُسامره على مضض، تعتمل في دواخله عواصف من القلق،

تتناهى لسمعه أنّات مكتومة، يهبُّ من فراشه، يلقى زوجته نائمة في سرير ابنتها، تضمّ قطعًا من ثيابها إلى صدرها، تستنشق رائحتها في شوق متّقد، تتنبّه لوجوده، تنظر إليه نظرات دامعة «رائحتها كل ما بقي لي. تُشعرني بأنّها قريبة منّي». تعمّدت زوجته ترك كلّ شيء على حاله، حتّى قميص نوم سارة ظلّ معلّقًا على المشجب ممزوجًا بعرقها. قالت له بنبرة هدّها الحزن «أريدها عندما تعود، أن تجدنا قد حافظنا على كل ما يخصّها. لقد كان يثير غضب سارة أن تحرّك الخادمة أشياءها من أماكنها، أو العبث بحاجياتها». يبتلع وجعه، يجرّ ساقيه بتثاقل خارج المكان، مع هذا العذاب الليلي، اكتشف أهمّية أن يحتفظ الإنسان بعبق أحبّائه، وجده مخدّرًا سحريًّا يُطفئ ظمأ الحنين لملاقاتهم. وسط غابة أحزانه، تحضره صورة أمّه «بشيلتها» السوداء التي تُغطّي بها نصف شعرها، تاركة نصفه الأمامي يطلّ منه خط جلدها، وقد فلقت شعرها المخضّب بالحناء إلى قسمين، رامية ضفيرتي شعرها الهزيلتين على جانبي صدرها، طعم قهوتها العربيّة المطعمة بالهيل والزعفران، رائحة الطيب الذي تُطلقه صبيحة كل يوم في غرف البيت، بسملتها وحوقلتها عند أذان الفجر، صوتها الغارق في الخشوع وهي تدعو اللّه أن يحفظ أبناءها، وينعم عليهم بوافر الصحّة والسعادة وراحة البال.

صارت تحضره كثيرًا في مناماته، كلّما غفت عيناه، يحسّ بها واقفة عند رأسه، نظراتها ينزُّ منها عتاب صامت، يُناديها فلا تستجيب لندائه، يستيقظ من نومه، يتلفّت يمنة ويسرة، يستغفر ربّه، يدعو لها بالرحمة.

أوصاني أبي: «لا تُصبح أحمقَ مثلي... حلَّ لغز حياتك مبكرًا... في شبابي لم أسعَ لمعرفة ذاتي إلّا بعد أن ألفيتُ نفسي مزويًا عند سفح جبل خالٍ من العشب الأخضر!! كانت قد أنهكتني الضربات، وهدّتني الصدمات، وسلبتني الشيخوخة عافيتي».

2

انزلقتُ من بطن أُمّي في مستشفى ويلينغتون Wellington Hospital الساعة الواحدة من صباح السنة الميلادية الجديدة، والناس ملتهون بِطَيّ عام واستقبال آخر. كانت ندف الثلج تُعانق بشبق سطح الأرض لحظة خروجي من رحمها، وهو ما أدّى إلى تعلّقي بهذه الكتل البلّورية، وحمّست أبي في صغري، على مداومة اصطحابي إلى المناطق المكتسية بأغطية ثلجية، فأتمرّغ فيها مبتهجة.

يعود لي الفضل الأوّل في إضفاء لقب أب وأم على والديَّ. بصفتي الابنة الكبرى، أُتيحَت لي ممارسة سلطتي الأخوية على مشاعل والعنود اللتين تصغرانني. ورث ثلاثتنا عن أبينا الأنف البارز مع استواء الأرنبة، والعيون الدعجاء المكحّلة الجفون، وإن كنتُ أختلف عنهما في لون فضّي عينيَّ المائلين للرمادي، وشفتيَّ الممتلئتين. أخبرتني أمي وهي تبتسم أنّها توحّمت على الخادمة الأفريقية التي كانت تأتي ثلاث مرّات في الأسبوع لتنظيف منزلنا. كنا نتأهّب لوداع 2005، صديقتي ربيكا Rebecca وخطيبها جورج George قرّرا الاحتفاء بعيد ميلادي الثاني والعشرين في مرقص Tantra and Strawberry Moon الواقع في شارع ريجنت .Regent St. هذا المكان يرتبط بذكرى

جميلة عند ربيكا، فيه التقت جورج للمرّة الأولى، لفتت انتباهه لحظة دخولها مع مجموعة من صديقاتها. أعجبته طريقة رقصها، بهرته ابتسامتها التي تُومض بثغر لؤلئي، وغمّازتين مغروستين مناصفة على كلا الخدّين. جذبته جلستها التي تُبيّن خلفيّتها الأرستقراطية. اتّجه بلا وعي صوبها، وقف قبالتها مأخوذًا، دعاها للرقص معه، تفرّسته بعينيها، جسّت من مقعدها نبض نظراته، أعجبها الهدوء المسترخي في بلاطة عينيه، مدّت يدها، أطبق عليها بقوة، من لحظتها لم يفترقا، عرّفته إلى والديها، رحّبا به كزوج مناسب لابنتهما. كان والده يشغل مركزًا دبلوماسيًّا مرموقًا في السفارة البريطانية بمدريد، قبل أن يتقاعد منذ عدّة سنوات، وهو ما أتاح المجال أمام جورج للعمل في مجال الترجمة في واحدة من وكالات الأنباء العالمية لإجادته اللغة الإسبانية تحدُّثًا وكتابة. أخبرتني ربيكا أنّ جورج سيحضر معه صديقًا مقرّبًا له يُدعى زياد، من أصل فلسطيني، يحمل الجنسية الإنجليزية، يعمل مع جورج في الوكالة نفسها، عملهما المشترك أسهم في توطيد أواصر صداقتهما.

كان المكان مزدحمًا بفتيان وفتيات في مقتبل العمر، صوت الموسيقى العالي، أعجز كلينا عن تبادل أطراف الكلام. حاول بأمانة فرض وجوده، كياسته، خفّة ظلّه، قاشعًا بسهولة ستار الكلفة. دنا مني، سألني ببساطة إن كنتُ راغبة في مشاركته الرقص!! تسرّبت رائحة أنفاسه إلى خياشيمي، لم يمهلني، سحبني من يدي مخترقًا الحلبة بجذعه العلوي. راقني تصرّفه، اندمجت مع أغنية Baby one more time لمطربة البوب بريتني سبيرز Britney Spears. قرّب فمه من حلمة أذني «هل تعجبك أغاني سبيرز؟!». أومأت بالإيجاب. ردّ مبتسمًا «تروقني شطحاتها». مع حلول الدقيقة الأخيرة من الثانية عشرة بعد منتصف الليل، عمّت الظلمة المكان، طبع على خدّي

قبلتين خاطفتين قائلًا «كل عام وأنتِ بخير مرّتين». أحسست بملمس شفتيه، مسّت رطوبتهما شغاف قلبي، خدر لذيذ سرى في عروقي. عاد الضوء ثانية للمكان، تبخّرت نشوتي الخاطفة، رجعنا إلى مقعدينا، لاحظتُ ابتسامة مشرقة تطفو على وجه ربيكا، بادلتها الابتسامة.

وأنا أودّعه سحب هاتفي الخلوي من حقيبتي قائلًا «هل تسمحين لي؟!» سجّل رقم هاتفه الخلوي، متابعًا بحسّه الدعابي «زيادة في التأكيد حتّى لا تنسي لقاءنا بمجرّد أن تفيقي صباحًا من هذه الأمسية الصاخبة».

* * *

زياد فنّان بارع في نحت الأجساد والوجوه وعمل المجسّمات الجمالية، المصنوعة من خامات مختلفة، كالطّين والصلصال والخشب والبرونز الأسمر القاتم. كانت منحوتاته تأخذ حيّزًا كبيرًا من أحاديثنا الهاتفية. دعاني إلى زيارة مرسمه بعد انقضاء أسبوع على تعارفنا، قائلًا بمرح «أعدك بأنّني لن ألتهم منك قطعة!!».

كان المرسم يقع في جنوب كينسينغتون South Kensington، في منزل مكوّن من طابقين، استأجر زياد مع اثنين من زملائه الطابق الأرضي، زميله الأول فنان تشكيلي برازيلي الجنسية، والثاني تركي متخصّص في فنّ النّحت Sculpture، كلاهما كان في السنة النهائية بكلية تشيلسي للفنون Chelsea College of Arts. اعتاد زياد بيع مجسّماته للمحالّ المتخصّصة، فكانت تدرُّ عليه دخلًا طيّبًا، وخاصة الميداليات التذكارية المصنوعة من الخشب والبرونز، إضافة إلى عمله في مجال الترجمة. لاحظتُ أنّ حجرة زياد تعمّها الفوضى، في إحدى الزوايا كانت تقبع بعض من الحوامل المعدنية، وقطع

من المجسّمات الصغيرة، إضافة إلى رأس خشبي لامرأة خمسينية متهالكة الملامح، وبجانبه رأس من البرونز لامرأة في العمر نفسه تقريبًا تُعطي الانطباع نفسه، إذا دقّق الناظر في تقاسيم كلّ منهما على حدة، فسيكتشف أنّها تعود لامرأة واحدة.

«من هذه المرأة؟» سألته بفضول.

تغيّرت سحنة وجهه «هي لأمّي. ماتت العام الفائت بعد معاناة طويلة مع مرض السرطان. قصدت تخليدها قبل أن ترحل عنّي».

«آسفة. لم أقصد تحريك أحزانك».

هزّ كتفيه «لا عليك، في داخل كلّ منّا كتل من الانكسارات. أحيانًا نفلح في جزّ بعضها من أرضية حياتنا، وأحيانًا أخرى تعجز سواعدنا عن بتر أيٍّ منها، فنضطرّ إلى الوقوف عند قارعة الطريق على أمل العثور على متطوّع مفتول العضلات، ليقوم نيابة عنّا بهذا العمل الانساني!!».

قبض زياد بعفوية على كفّي، طاف بي غرف المرسم، أطلعني على أعمال رفيقيه، لاحظتُ خشونة في باطن يده، أرجعتها إلى انغماسه في أعمال النّحت الشاقة. كانت أضواء المرقص ليلة رأس السنة خافتة، جعلتني شبه عاجزة عن تصيّد ملامحه، أجلتُ فيه بصري بجرأة، كان في حوالي الثلاثين، مربوع القامة، قمحيّ البشرة، حليق الشارب واللحية، يميل شعره إلى الكستنائي، ظريف الهيئة، يملك رجولة حاضرة على الدوام، أسبل العينين، تقفز من فصّيهما العسليّين فحولة مشتعلة. لاحظ استغراقي في تفحّص هيئته، ابتسم «هل تقبلين دعوتي للغداء؟!» وافقت بلا تردّد.

لا أُجيد لغة الاكتشاف، ولا أعرف طريقة حلّ الكلمات المتقاطعة، لكنّني استطعتُ بيسر حلّ شفرة شخصية زياد، تجاذبت روحانا من الوهلة الأولى. تعاهدنا قبل انعقاد جلسة المصارحة

المرادفة للحب، ومن دون أن يبوح أحدنا بخلجات نفسه، أن يُطوّع كل منّا ميوله للآخر، لحظة أن أخبرته بسرّ عشقي الطفولي، سحبني من يدي، تاركين قهوتنا الساخنة التي لم تزل أبخرتها تخرج من جوفها، تبرد بمفردها على طاولة المقهى. سألته «إلى أين؟!». وضع سبابته على فمي «لكي تُطارحي عشيقك الغرام!!». عقدتُ حاجبيَّ عجبًا، طوال الطريق أخذتُ أقلّب عبارته في فكري، فهمت مقصده عندما وصلنا إلى بايز ووتر Bayswater، أمضينا بعض الوقت في التزلّج في Ice Rank.

ألفة قلبَينا سارعت في تلاحم تواصلنا، في خلال أشهر قليلة غدت لقاءاتنا أكثر دفئًا، أحسّ بنشوة لذيذة تغمرني كلّما دغدغ بكفه بلاطة ظهري، أو داعبت أنامله بعفوية خصلات شعري. عندما يلمُّ جسدي بين ذراعيه، ألفي أنوثتي البكر تتفتّح أوراقها، تتخلّى عن حذرها، تخرج من مكمنها، تاركة نهرها العذب ينساب بدلال في مجرى أرضه. لم تكن لي تجارب عاطفية عميقة، كلّها لقطات عابرة وقعت مع بداية تشكّل مراهقتي، أضحك بيني وبين نفسي، أسخر من سذاجتي، كلّما مرّت في خاطري مشاهدها، كيف كنتُ أبكي حين يجلس صديقي بيتر Peter بجانب زميلة أخرى، فأتحاشى التحدّث معه في اليوم التالي عقابًا له على تجاهله لي. كيف كنتُ أحثُّ زميلاتي على عمل مقالب ضدّه. شقاوة لذيذة لم يبقَ منها سوى صور فوتوغرافية أحتفظ بها في خزانتي، أقلّبها بين آونة وأخرى، حين يشدّني الحنين لمشاكسة طفولتي. لم أدرس في أكاديمية الملك فهد[1]، آثر والدي تعليمنا في مدارس إنجليزية، وهو ما جعلني ذلك الزمن أملك رصيدًا كبيرًا من الأصدقاء والصديقات من جنسيات

[1] مؤسّسة تعليمية، أسّستها الحكومة السعودية لأبناء الجالية السعودية المقيمة في بريطانيا.

مختلفة، استقلّ أغلبيّتهم قطار الأيام، فقادهم إلى مدن أجهلها، ولم أهتمّ بدوري في تعقّب خط سيره. كان حُلم والدي أن أدرس المحاماة في جامعة «أكسفورد» أو جامعة «كمبريدج»، تخصّصتُ في علوم الحاسب الآلي Computer Science. في سنتي الأولى بالجامعة جرّبت ما يقولون عنه طعم الحب الأوّل، أحسّ بحلاوة مذاقه كلما لامست ذكراه طرف لساني. كان شابًّا عراقيًّا في مثل عمري تقريبًا، وإن كان نضج تفكيره أثار شكوك الغرباء حول صحّة شهادة ميلاده!! كان زميلي في الكليّة، حرّك فضولي، وجهه المخروط، عيناه الغائرتان الطافحتان بالمرارة، لم يستطع بؤبؤاها الأخضران مداراة أوجاعهما. جاء عادل مع أهله إلى بريطانيا كلاجئين سياسيين، وهو طفل لم يتجاوز الثامنة. سألته مرّة «هل ما زال العراق يعبث بذاكرتك؟!». أجاب بنبرة موجوعة «أنا لا أعرف بغداد. ولا أتذكّر نكهة نهري دجلة والفرات، اللذين شربت في طفولتي من مائهما، لكنّني أسمع هديرهما في أبيات الجواهري، وأنصت لزقزقة عصافيرهما في أشعار السيّاب، وأحس بجريان الدم في عروقي عندما يُغنّي كاظم الساهر للعراق «... عيناها بيتي وسريري ووسادة رأسي أضلعها، تمحو كلّ هموم حياتي لو مسّ جبيني إصبعها، ضميني يا أحلى امرأة لو صمتت قلبي يسمعها... بغداد... وهل خلق اللّه مثلك في الدنيا أجمعها...» آه يا سارة... كلّ العراق مسكون في مغارة طفولتي مثل مدن الأشباح التي كنّا نتخيّلها في صغرنا».

في مرّة ونحن جالسان في أحد المقاهي، سرح بعينيه بعيدًا، هيمن الأسى على نبرة صوته «ألا تحنّين إلى وطنك؟! ألا تشعرين بالرغبة في ضمّه بين أحضانك؟!».

«بل أحسّ أنّني مُقيّدة بأغلال غليظة، كلّما غاصت ساقاي في بلدي. أشعر بوجوه مشوّهة المعالم تُلاحقني في كل شارع أمشي

فيه، وعند كل منعطف أقف عنده. يُحسّسني مناخه بأنّني جارية... أَمة مستعبدة!!».

«هل الأوطان تخلق الاستعباد؟ سامحك الله».

استمرّت علاقتي بعادل سنتين، كنّا أثناءها نُهدهد غرائزنا التي لم تزل في بداية تفتّقها، نستبيح لأنفسنا تذوّقها بحذر على حشائش الهايد بارك، أو عندما تلفّنا الظلمة في قاعات السينما. استبقينا منطقة عازلة بيننا، لم يُفكّر أحدنا في اختراقها، أو العبث بمحتوياتها، مع هذا ما إن أعود إلى البيت بعد لقائه، وأصطدم بالشعاع الحاني الممزوج بالجزع والقلق، المنبثق من عيون والديَّ على غيابي، حتّى أُحسّ بأنّني اقترفتُ ذنبًا هائلًا تجاههما، ويُقرّعني ضميري، فأقبّلهما وريق فمي يطلب منهما الغفران، أهرع بعدها مسرعة إلى غرفتي وأدسّ جسدي المندّى بعرق عادل تحت اللحاف.

وزّع عدد من طلبة الجامعة منشورًا، يحثّ على الانضمام إلى المسيرة التي ستنطلق احتجاجًا على اجتياح القوات الأمريكية للعراق. سألته إن كان يرغب في المشاركة، أشاح بوجهه عنّي ومضى، عاد في اليوم التالي مبديًا أسفه على تصرّفه «لا تغضبي منّي يا سارة. أنا مع تحرير الأوطان من طغاتها، مهما كانت الوسائل سيّئة السمعة!! فكيف إذا كانت تمسّ مصير بلادي».

رقص عادل «الدبكة» العراقية عندما أعلنت القوات الأمريكية انتصارها على الجيش العراقي ودخولها أرض العراق. تراقصت ملامحه فرحًا وهو يُتابع مشهد سقوط نصب صدّام حسين على شاشة التلفاز. راقب بتشفٍّ، الحشود الهائلة التي تجمّعت لضرب قطع تمثاله المتناثرة بنعالهم. فاجأني بقرار السفر إلى هناك، قائلًا بنبرة يشعّ منها التفاؤل، وصوت غامر بالسعادة «أريد أن أرى بغداد، وأُبلّل قدميَّ الجافتين في نهري دجلة والفرات». رحل دون أن يُخبر أهله، كان

الحنين يُسيطر على جوارحه، الشوق إلى أرضه يملأ دواخله، قال لي وهو يودّعني وبوارج الفرحة تُبحر في شواطئ عينيه «لن أتأخّر. أُريد أن أحفر بغداد في ذاكرتي كواقع. أن أحبّر الصورة الباهتة المطبوعة في خيال طفل لم يزُرْه وطنه إلّا في أحلامه. أوطاننا لها حقوق علينا. تذكّري هذا جيّدًا يا سارة».

سافر عادل ولم يعد، قُتل بعد أيام قليلة من وصوله، في واحد من الانفجارات اليومية، التي تتكرّر يوميًّا مخلّفة آلاف الضحايا. سمعتُ من أصدقائه أنّ جسده تمزّق أشلاءً، وهو يدندن أغنية كاظم الساهر. شاء حظه العاثر أن يمرّ في طريق زُرعت فيه سيارة مفخّخة. راح عادل ضحيّة عشقه المستحيل، لوطنٍ ناداه ليتعرّف إليه عن كثب فلبّى نداءه. قُتل دون أن يعرف لماذا، ودون أن يكتشف هوية قاتليه. سألته مرّة عن مذهبه، وإلى أيّ طائفة ينتمي، أجابني بعصبية «أنا عراقي. أتعرفين ماذا تعني هويّتي؟ أنا من منبع الحضارة. أنا لا أتعصّب لمذهب، ولا أُمثّل طائفة معيّنة حين يرتبط الأمر بمواطنتي. أنا أعذرك فأنت لم تقرئي تاريخ العراق جيّدًا، ولا تعرفين شيئًا عن عظمة هذا البلد».

شدّني يومها من يدي قائلًا «سأريك حضارة أجدادي». أخذني إلى المتحف البريطاني British Museum، قادني إلى القسم الخاص بالحضارة الأشورية. كان يشرح لي تاريخ كل قطعة معروضة، كأنّه خبير آثار. يتحدّث ولمعة الاعتزاز، وبريق الفخر، يُضيئان عينيه.

لا أدري كيف أصنّف علاقتي بعادل. هل كانت علاقة عابرة من تلك التي نستخدمها، كأداة لاستكشاف أرضيّة مشاعرنا لحظة تفتح براعمها، أم بداية لهوى صارخ، لم يمهله القدر ليُصبح رمزًا في حياتي؟ ما زلتُ أتذكّر عبارته التي كان يردّدها أمامي دائمًا «الإنسان يا سارة يتعلّق بمن يسكب رحيق الوطن في ريقه، وبمن يغرس في

محجري عينيه نبتة هويّته». ما زلتُ أجهل مغزى كلماته، وهو لم يعد حيًّا لأطلب منه تفسير مضمونها.

* * *

اعتدنا أنا وزياد التسكّع في منطقة البيكاديللي Piccadilly، وخاصة ميدان ليستر Leicester Square، وارتياد دور السينما لمشاهدة الأفلام فور نزولها. يستهويني، طوال فترة العرض، ترك كفّي مسترخية في باطن كفه، وإسناد رأسي على كتفه، أحب الاستكانة فيه، تزكم أنفاسي رائحة رجولته الشامخة، تروقني لهجته الفلسطينية. عندما نكون وحدنا لا يخاطبني إلّا بها، سألته مرّة «كيف تمكّنتَ من إتقان مخارج حروفها؟! كثير من الناس الذين يولدون في الغرب، يفقدون لسانهم العربي».

«أنتِ كذلك وُلدتِ في بريطانيا، مع هذا تتحدّثين بلهجة سعودية متقنة، مثل التي أسمعها في قنواتكم التلفزيونية».

«أبي وأمي لا يتحدّثان معنا داخل البيت إلّا بها».

«لا أُخفي عنك سرًّا بأنّني بدأت أفقد حماستي للهجتي، وأنّني متمسّك بها لأُريح والديَّ في قبرهما. لم أعد أُصدّق أنّ هناك وطنًا اسمه فلسطين كان له وجود على خريطة العالم العربي. كنتُ حتّى الأمس القريب كلّما وقع نظري على أبي وأمي، قبل أن يختارهما اللّه لجواره تباعًا في سنة واحدة، أتوه في بيداء فكري، وينفطر قلبي ألمًا عليهما، وأنا ألمح بصيص الأمل يُضيء روحيهما عند كل بادرة سلام يُعلن عنها. يُداهمني إحساس قاسٍ بأنّهما يُجذّفان بمجذافين قديمين، وقارب متهالك سيهوي إلى القاع في أيّ لحظة. وقتها كان ينتابني خوف شديد عليهما، من أن يطول أمد انتظارهما وتُصبح الغربة كفنًا لهما. قالت لي أمي قبل أن تموت وعيناها مُعلّقتان في

الفراغ «أوصيك بفلسطين». وأعطاني أبي كل ما خلّفه وراءه هناك، من عقود تُثبت أنّني وريثه الوحيد، راجيًا أن لا أُفرّط في حقي. تُذكّرني وصيّتهما بقصيدة جميلة للشاعر محمود درويش، اسمها رسالة من المنفى، يقول في مقاطع منها «... ماذا جنينا نحنُ يا أمّاه؟ حتّى نموتَ مرّتين... فمرّة نموتُ في الحياة... ومرّة نموتُ عند الموت! هل تعلمينَ ما الذي يملأني بكاءً؟ هبي مرضتُ ليلةً... وهدَّ جسمي الداء! هل يذكر المساء... مهاجرًا أتى هنا... ولم يعد إلى الوطن؟ هل يذكر المساء... مهاجرًا مات بلا كفن؟»‏.

«لا أدري ماذا أقول!! لكنّني أسمع أبي يُردّد دومًا وهو يُلاحق بعينيه نشرات الأخبار، أنّ الأوطان مهما طال أمد احتلالها لا بدّ أن تعود يومًا لأهلها».

«حُلم إبليس في الجنّة!! ثمّ من قال لك إنّني أحلم بالعودة!! أنا أؤمن بأنّ الإنسان لا تعلق في ذاكرته إلّا الأشياء التي تنطبع مشاهدها في لوحة عينيه. أنا لم أرَ فلسطين ولا أعرف شيئًا عنها!! حلمي أن أعيش مثل بقية خلق الله». تبدّلت نبرة صوته «أنتِ لم تعيشي في بلدك. بل لم تلدك أمك هناك. هل تتخيّلين نفسك تُقيمين في السعودية، وتلبسين العباءة التي ترفضينها، وتسمحين لكل رجل بأن يتحكّم في حياتك باسم الدين؟! أشكّ في هذا».

«لم أعش هذه التجربة بكلّ أبعادها!! كل ما أعرفه تكوّن عندي من خلال لقطات سريعة عند زيارتي الصيفية لأهلنا في السعودية. لكن أحيانًا يغفو حبّ في قلوبنا، إلى أن تقع زوابع وعواصف تُهدّد وجوده، ويتسلّل لأعماقنا شعور غامض بأنّ هناك من يفكّر بنزعه من أيدينا، لحظتها قد نهبُّ بحماسة لنجدته. أتعرف لماذا؟! لأنّه يُشكّل هويتنا، يمنحنا قيمة إنسانية وسط شعوب العالم».

«هل قرأت رواية بيوغرافيا الجوع؟! تقول مؤلّفتها آميلي نوثومب Amélie Nothomb عن وطنها: "من بين جميع البلدان التي عشتُ فيها، كانت بلجيكا هي البلد الذي فهمته أقلّ من سواه..."».

«هل تقصد أنّها لم تكن تشعر بانتمائها لوطنها بلجيكا؟ عمومًا لن أصدّع رأسي بالمجهول. سأترك الأيام تحلّ لي الألغاز المستعصية عليّ».

«إيّاكِ والأيام. أتدرينَ ماذا أوصاني أبي قبل وفاته؟! قال لي... لا تُصبح أحمقَ مثلي... حلَّ لغز حياتك مبكرًا... في شبابي لم أسعَ لمعرفة ذاتي إلّا بعد أن ألفيتُ نفسي مزويًّا عند سفح خالٍ من العشب الأخضر!! كانت قد أنهكتني الضربات، وهدّتني الصدمات، وسلبتني الشيخوخة عافيتي... لحظتها يا بنيّ رفعت عينيَّ إلى الأعلى ونظرت بحزن إلى موقعي... تحسّرتُ على مدى غبائي في بعثرة أيامي هباءً... قلت لنفسي... هل كنتُ بحاجة لإضاعة عمري لأكتشف معنى حياتي؟!».

«لا أظنّك استمعتَ لنصيحة أبيك. في عمرنا هذا لا نلتفت لحكم العجائز!!» أجبته ضاحكة.

تفحّصني بنظراته، علّق مبتسمًا «أتعرفين يا سارة. هناك قوى خفّية تجذبنا بعضنا لبعض، لم أضع يديّ عليها بعد، لكن مؤكّد أنّ الأيام ستقشع لكلينا خباياها».

«أرأيت!! حتّى أنت، بالرغم من تحذيرات أبيك، تركن أحيانًا لمنطق الحياة».

* * *

يُقيم زياد في شقة صغيرة ورثها عن والده، كانت ثمن غربته الطويلة، تقع بالقرب من مرسمه، يفصله عنها شارع واحد، تملّكتني الدهشة

وأنا أخطو بقدميَّ داخل الشقة، شعرتُ بأنّني أطير على بساط ريح ليحطّ بي في فلسطين التي لم تقع عليها عيناي قطّ، ولا أعرفها إلّا من خلال منهج التاريخ الذي درسته في المدرسة، ومن الصور المشوّشة التي تعرضها شاشة التلفاز. حرص زياد على ترك كلّ شيء على حاله بعد رحيل والديه، كلّ ركن يؤكّد هويّة ساكنيه، تتوسّط صالته الصغيرة لوحةٌ معلّقة على الحائط مصنوعة من القماش وقد نُسجت بخيوط متعدّدة الألوان للمسجد الأقصى، قال لي زياد وهو يشير إليها «صنعتها أمي بيديها على مدار سنتين من ذاكرتها البعيدة، يوم اصطحبها أبوها لزيارة القدس، والصلاة في المسجد الأقصى، قبل أن تُنهي أعوامها السبعة. كانت تُردّد أمامي أنّ أصعب لحظة في حياة الإنسان هي حين يترك خلفه الأرض التي وُلد وترعرع فيها، يظل يُجاهد بإخلاص ليتخلّص من خوفه الطاغي الذي يُوحي له على الدوام أنّه لن يلتقي ثانية بمعشوقته الأولى». لفتت انتباهي صورة لرجل بزيّه الفلسطيني وبيده بندقية، وتحتها كُتبت أبيات قليلة لمحمود درويش «يا صديقي! لن يصبّ النيل في الفولغا، ولا الكونغو، ولا الأردن، في نهر الفرات! كلّ نهر، وله نبع... ومجرى... وحياة! يا صديقي! أرضنا ليست بعاقر... كلّ أرض، ولها ميلادها... كلّ فجر، وله موعد ثائر!». قال لي وأنا أتأمّل الصورة «إنّها صورة جدّي في حرب 1948م. حكى لي أبي الكثير عنه. كان بطلًا، تطوّع في جيش الوطنيين غير النظامي الذي تكوّن دفاعًا عن فلسطين. قاتل ببسالة حتّى استُشهد».

«هل تعتبره مثلك الأعلى؟».

«أحيانًا أُحسّ بالفخر لكوني حفيد هذا الرجل الذي قدّم نفسه قربانًا لوطنه. لكنّني كما قلتُ لك سابقًا، أُحسّ بأنّه لا جدوى من هذه المحاولات اليائسة لاسترداد وطن أصبح في خبر كان. أجد نفسي أقف أمام صورة جدّي وأقرّعه ناعتًا إيّاه بالغبيّ، لأنّه فقد حياته من

أجل شعارات جوفاء!! جعل نفسه كبش فداء!! التضحيات يجب أن يكون لها مردود فعلي على الأرض وإلّا فالاستغناء عنها أضمن. بكل صراحة أنا لا أفكّر يومًا في حمل بندقية على كتفي لأحارب بها اليهود. لقد أصبحوا واقعًا مفروضًا شئنا أو أبينا، فلماذا أزيد رقمًا خاسرًا على آلاف مؤلّفة راحت ضحيّة أوهامها؟».

«ألهذا قرّر أهلك تحديد النسل في ابن واحد؟!»

«أهلي كانوا عقلاء. المعتوهون وحدهم من جعلوا مهمّتهم محصورة في تفريخ أطفال، يستخدمونهم كأدوات لتخليص أرضهم من حبل المشنقة. وطن كُتب نعيه منذ ما يقرب من ستة عقود». لمعت عيناه ببريق أخّاذ، أمسك يدي متابعًا «دعينا من هذا الحديث الذي يبعث على الكآبة». قادني إلى غرفة نومه، كانت الغرفة الوحيدة التي تشذُّ عن طراز البيت المصبوغ بالصبغة الفلسطينية، معتدلة المساحة، حيطانها الأربعة تعجُّ بصور لفنّانين وفنانات، عرب وغربيين، يتوسّطها سرير فردي من الطراز الحديث، وبجانبه مكتب صغير وضع عليه جهاز كمبيوتر وقد تناثرت عليه بعض المجلّات العربية والأجنبية. جلس زياد أمام الشاشة، حرّك الفأرة، أراني صورًا كثيرة لرحلات قام بها في أنحاء أوروبا، معظمها أخذها في أماكن أثرية ومعارض تشكيلية تُظهر مقدار عشقه لعالم الفنون. كشف لي عن حلمه في زيارة روما، رؤية متاحفها، الاطلاع على منحوتات فنّانيها العظام، رأيته يتأمّلني من جانب وجهي، ألقى عليَّ سؤالًا لم يرُقني، قاله ببساطة لا مكر فيها «سارة. هل تعرّيتِ يومًا أمام رجل؟!». طفح الدم في وجهي. تابع كلامه «أكره أن ألمس في ردّك شيئًا من التصنّع الأنثوي. دعينا نقرأ صفحات بعضنا دون أن يتعمّد أحدنا إخفاء بعض سطورها عن عيني الآخر. أتدرين؟ لقد انتهكت بكارتي امرأة وأنا لم أتجاوز الخامسة عشرة».

قلتُ بنبرة متهكّمة:

«وهل الرجل تُنتهَك بكارته؟»

«لماذا تعتقد المرأة بأنّ الرجل من السهل أن يستبيح نفسه؟! الرجل يضنُّ أيضًا بجسده ولا يُقدّمه لكل عابرة سبيل تهزُّ له ردفيها! نعم لقد نهبت مراهقتي امرأة».

«احكِ لي قصّتك معها» قلتُ عبارتي بتلهّف.

افترشنا الأرض بجسدينا، بدأ يحكي وأنفاسه الدافئة تُناكف أرنبة أنفي «احتلمت عندما كنتُ في سنّ الرابعة عشرة من عمري، بداخلي مخزون ضخم من الرغبات، تنفلتُ دون قصد منّي كلما تطلّعت إلى مؤخرة فتاة تسير ببنطالها الضيّق أمامي، أو كلما تصفحت مجلة «البلاي بوي». سكنت بجانبنا امرأة فتّانة المحاسن، هيفاء القوام، من أصول برازيلية، صبّ فيها اللّه أنوثة طاغية، تزوّجت بإنجليزي عجوز، متخم الثراء، لم تعبأ بقدميه الواقفتين عند حافة الموت، كانت تُخطّط للبعيد، ترمّلت بعد رحلة زوجيّة قصيرة. كنتُ أذهب إليها في عطلتي الأسبوعية لترتيب ملفّاتها الخاصة، حيث كانت تدير أعمالًا تسويقية من منزلها. ذلك اليوم ارتدت «تنّورة» بالكاد تحجب سروالها الداخلي، وقميصًا علويًّا بحمّالتين رفيعتين، أظهرا حلاوة نهديها النافرين. طافت ابتسامة ماكرة على وجهها وهي تراني أنتفض أمامها وقد تفصّد جبيني عرقًا، وشحمة ذكورتي تقفز من تحت بنطالي، دون أن أملك حيلة لإيقاف شيطنتها. شدّتني لحظتها من ياقة قميصي قائلة بغنج «أنتَ محظوظ. ليس كل فتى في عمرك تسنحُ له الفرصة لأخذ دروس مجّانية في العشق». كانت ينبوعًا متدفّقًا من الرغبة المتوحّشة التي لا تعرف الشبع، انبهرت بأرضها الخصبة، جموحها زادني اندفاعًا لإرواء همجيّة فحولتي. انتهت علاقتي بهذه المرأة بعد انتقالنا إلى منطقة أخرى قريبة

من عمل والدي. سقطت صورتها في حقيبة النسيان مع الكثير من أشيائي العتيقة».

* * *

طاف بنا أبي العديد من بلدان العالم، كان يهتمّ بشرح ثقافة كل بلد نزوره، يُخصّص برنامجًا لارتياد متاحفه ومعابده وآثاره، احتسيتُ كأس طفولتي حتّى آخرها في بيت لم يقتحم يومًا حجراته ولا فناءه خلافٌ أو شجار عائلي، لكنّني لم أعِ جمال الدنيا وأفهم مآخذها وأقلّب أوجهها إلّا مع زياد، من أجله انكببت على قراءة كل ما يتعلّق بفنّ النحت، لأفهم أعماله وأُبدي ملاحظاتي عليها، أجلس قبالته ساعات دون تململ أو تبرّم وهو مستغرق بحواسّه وأنامله منهمكة في نحت مجسّم، أو وجه أو جسد. يُحبّذ استخدام الطين الصلصال في صنع تماثيله، يرى أنّه يتمتّع بمرونة كتلك المتوفّرة في خصال الإنسان الذي يخضع لقوانين الحياة حتّى لا تتحجّر روحه. اهتمّ زياد بأن يشرح لي ما أجهله في طبيعة عمله ولم أجده بين طيّات الكتب، سألته مرة «ما الذي تشعر به وأنت تنحت مجسّمًا أو وجهًا أو جسرًا؟». قال لي ويداه ملطّختان بالطين «تعلّمتُ من قراءاتي لسير العباقرة العظام، أنّه داخل كل حجر وكل مشهد وكل وجه، تقبع روح وهّاجة. المبدع الحقيقي تستفزّه هذه الكينونة الخفيّة لأن يُعرّيها بيديه أو بريشته أو بأدواته. هل تذكرين سؤالي لك يوم دخلت بيتنا لأول مرة؟! تتملّكني رغبة قوية في نحت تمثال لجسدك مثل تمثال فينوس إلهة الحب والجمال والخصوبة. لا تنظري إليّ هكذا، أريدك أن تتعرّفي إلى نفسك من خلالي. كيف أراك بعينيَّ. ثقي بي. أنا لا أراك مجرّد أُنثى تستثير غرائزي. أنت امرأة عمري وعميدة قلبي».

جاءت عطلة نهاية الأسبوع، رتّبتُ أموري في البيت، أخبرتُ والديَّ أنّني سأتغيَّب اليوم بطوله مع بعض صديقاتي، سنقضيه في

رحلة إلى مدينة برايتون Brighton. كان المرسم خاليًا باستثنائي أنا وهو، انتحيتُ جانبًا، أخذ قلبي يدقّ دقّات متلاحقة كأنّ طبولًا أفريقية تقرع في أعماقي، أعطيت ظهري لزياد، شعرت بسهام عينيه تخترقني، خلعتُ قميصي، رميتُ حمّالة صدري، أخفيتُ هضبتيَّ الصغيرتين بطول ذراعيَّ، أدرتُ وجهي ناحيته وقد تخضّبت وجنتاي خجلًا، أخذ يتأمّلني «لا أستطيع أن أُسيطر على حواسي، وأنا أرى هذا الجمال الشامخ، يقف متحديًّا قدرتي على مواجهته. أمهليني بعض الوقت لأجمع شتات نفسي المضطربة». ألقى رذاذًا من الماء على صفحة وجهه، أخذ يُدندن بصوت خافت، تبخّر حيائي، لم أتمالك نفسي من الضحك، قال بتفاخر «ليتني أستطيع سكب نغماتك الساحرة في تمثالك! لكنّني قادر على تجسيد روحك الشفافة فيه».

غطّى جسدي السفليّ بلفافة من قماش الكتّان الأبيض، أراني صورة فوتوغرافية لتمثال فينوس، طلب منّي أخذ طريقة جلستها نفسها على الأريكة، نسي وجودي، خبا بريق الشبق الذي صوّبه منذ لحظات على جسدي، لاحظتُ اهتمامه بتحضير كلّ شيء، ركّب القضيب المعدني الفولاذي على قاعدته، رصَّ الأدوات التي سيستخدمها على منضدة صغيرة. راقبته بإعجاب وهو مستغرق في عملية صنعي، ركّز عينيه في الطين الصلصال المخروط أمامه، كان قد تركه لمدّة يومين في وعاء إلى أن فقد ماءه، انهمك في عجن الطين بيديه إلى أن أصبح غير قابل للالتصاق بكفيه، حوّل حدقتيْ عينيه تجاهي، أخذ يتأمّلني بعينيْ راهب انغمس في أداء طقوسه التعبّدية، بدأت أتململ، ترجّاني أن أتحلّى بالصبر. بعد شهر فرغ زياد من وضع الرتوش النهائية لتمثالي، كان قد أخفاه تحت غلالة شفافة، ما إن دلفتُ إلى مرسمه حتّى أزالها عنه، شهقت انبهارًا «هل أنا فاتنة إلى هذا الحدّ؟!». رأيتُ أضواء الحبّ تقفز في واحة عينيه «روحك

تملأني. أنت المرأة التي دمغ الله حبّها على جلدي. لنحتفل الليلة بخلود أنوثتك إلى الأبد».

ذلك المساء، تمشّينا على أقدامنا إلى منطقة وستمنستر Westminster Abbey حتّى بلغنا الجسر، ارتكزنا بمرفقينا على سوره، نُرهف السمع لجريان ماء نهر التايمز Thames من تحتنا، تلاقت عيوننا المغرمة، دفنت ولهي في صدر زياد، كانت تُراقبني من البعيد سماء مضاءة بنجوم برّاقة، شعرت بقشعريرة الهيام تسري في شراييني، حديقة غنّاء تُورق في أعماقي، ضوء ساطع يُنير مجامع قلبي، كانت المرّة الأولى التي أسدل فيها جفنيَّ هاتفة بكلّ جوارحي «أحبّك... أحبّك» دون أن أُعير اهتمامًا لأبواق السيارات السائرة، ونظرات الغرباء الفضولية.

* * *

سبقني زياد إلى الدنيا قبل ثماني سنوات من مولدي، همست أمه في أذنه وهي تضمّه إلى حضنها لتقبّله قبلة أمومتها الأولى «كنتُ أتمنّى أن تُبصر النور في موطن أجدادك». انزلقت دمعتان حارّتان على جبين طفلها الصغير، الذي لم يستوعب حينها مضمون الدرس الأوّل. عوّض أبواه وطنهما المفقود فيه، تُهدهده أمه في حجرها لينام على أهازيج فلسطينية، ما زال بعضها محفورًا على جدار ذاكرته. حين ينغز خاصرتيه الفراق، ويحنّ لحضن أمه، يُردّد كلماتها في صوت خافت «نيّمتك في العلية... خوفي عليك من الحيّة... على صوتك ينام تعاليله يا بدريه... بركن نيمتك بالمرجوحه... خوفي عليك من الشوحه... بركن على صوتك بنام تعاليله يا عندوره». اضطرّت أسرتا والديه اللتان تربطهما صلة قرابة، إلى النزوح من بلدتهما «البريج» إلى الأردن، حيث حصلا لاحقًا على الجنسية الأردنية. كانت أمّه في

الثامنة من عمرها عندما خرجت من بلدتها، وأبوه في الخامسة عشرة. بعد هزيمة العرب سنة 1967 تغيّرت نظرة أبيه للحياة، تملّكه يأس عارم، استحوذ على فكره القنوط من إمكانية العودة. في الأيام الأولى للحرب كان يمشي متبخترًا كلّما أعلنت إذاعة صوت العرب سقوط عشرات الطائرات، وتحطيم مئات الدبابات التابعة للعدو الإسرائيلي، ظلّ يُهدهد حلمه في العودة منذ أن يفتح عينيه مع إطلالة كل صُبح، يُتابع الأخبار بلهفة المتعطّش للارتواء بعد سنوات طويلة من الظمأ. مع إعلان هزيمة الجيش العربي أو كما أُطلق عليها لاحقًا «النكسة»، دوّت صرخات الألم في دواخله، لفح سواد الحزن وجهه، ظلّ فترة معتكفًا في البيت، رافضًا التحدّث مع أحد، ينخرط في البكاء طوال الليل كطفل رضيع يحنُّ لثدي أمه. يُقلّب في ذاكرته أزقّة قريتهم الصغيرة وحاراتها، مزرعة أبيه التي استولت عليها العصابات اليهودية، يستعيد مشهد أمّه وهي متشبّثة بأغصان شجرة الزيتون حين حانت لحظة الرحيل. علّق فوق سريره لوحة صغيرة، سطّر فيها أبياتًا شعرية لنزار قباني... «أنعي لكم يا أصدقائي اللغة القديمة والكتب القديمة. أنعي كلامنا المثقوب كالأحذية القديمة ومفردات العهر والهجاء والشتيمة. أنعي لكم، أنعي لكم. نهاية الفكر الذي قاد إلى الهزيمة. يا وطني الحزين حوّلتني بلحظة. من شاعر يكتب شعر الحب والحنين. لشاعر يكتب بالسكين». كل صباح يمرّ عليها بعينيه قبل أن يستهلَّ يومه. مثل البشر كافة، انزلقت سنوات الفجيعة إلى سفح ذكرياته، سلّم خيبته للأيام، انخرط في عمله مصوّرًا، صادف أن كان مدير إحدى وكالات الأنباء العربية في بريطانيا، وهو من أصول شامية، في زيارة لعمّان، أعجبته الصور التي التقطها له في حفل زفاف أحد أقاربه، عرض عليه أن يعمل لديه مصوّرًا فوتوغرافيًا، لم يتردّد هنيهة، كان يودّ الهرب من كوابيس الهزيمة التي تقضُّ مضجعه. عند قيام حرب 1973، عادت

الفرحة تقرع طبولها في دنيا والده، أخرج مفتاح بيتهم في «البريج»، أعاد تلميعه، نفض الغبار عن صكوك أملاك أسرته، هيّأ نفسه للعودة، غدا يمشي مختالًا على أرضية آماله، يغنّي بصوت جهوري «وطني حبيبي الوطن الأكبر»، عند كل نهار جديد، يقشع الستائر عن نوافذ بيته، يترقّب قدوم منادٍ يحمل له تباشير النصر. ذات ليلة دخلت عليه زوجته حجرة النوم، وجدته يضرب رأسه في الجدار وقد سال الدم من جبينه، هرعت نحوه، أمسكت به، ترجّته أن يتوقّف، قالت له بهلع «ماذا جرى؟!» صاح فيها «نكبة جديدة. الرئيس أنور السادات باع القضية الفلسطينية. سيزور القدس دون أن يُساوم على حقوقنا!». من يومها أصابه داء البكم، لم يعد يُردّد أغنية «وطني الأكبر»، صار يتجنّب التطرّق إلى قضية العودة، ظهور ابنه زياد على مسرح حياته، أعاد السرور إلى نفسه، انتشله من دوامة انكساراته، حطّ همّه في تعليمه، تعوّد أن يقرصه من لحمة أذنه قائلًا له بحزم «يجب أن تحصل على شهادة عالية، من دونها ستصبح في العراء. ليس لك وطن يحميك من طعنات الزمن». أحيانًا يغلبه الشوق، يخترق صمته، يأتي لزياد وهو يُقدّم رجلًا ويؤخّر أخرى، طالبًا منه بنبرات دهكها الحنين، أن يدخل على شبكة الإنترنت، ويفتح على خريطة فلسطين، يريد أن يعرف هل تغيّرت مدنها، قراها، طرقاتها، شوارعها، حوانيتها، بساتينها التي تحيط بها... كان زياد يُجاريه مدركًا أنّ فلسطين التي تركها وراءه لم يعد لها وجود، وأنّ هويّتها أصبحت يهودية، لا تمتّ بصلة لماضي أبيه المنحوت في أعماقه. التحق زياد بجامعة لندن University of London، حصل على شهادة البكالوريوس في الدراسات الشرق أوسطيّة BA Middle Eastern Studies. ساعده والده بعد تخرّجه في العمل مترجمًا في وكالة الأنباء التي تعرّف فيها إلى صديقه جورج. لم يكن خافيًا على المحيطين به شغفه بفنّ النحت منذ صغره، اهتمّ

بالحصول على دورات عديدة، لفتت أعماله الفنية الأنظار، حرص على استقطاع جزء من دخله للقيام برحلات سياحيّة حول العالم، كل بلد زاره نحته في ذاكرته، قد تكون عينان، أو شفتان، أو صفحة وجه ملائكي، أو جسد عاجي، أو يكون مشهد من الطبيعة جذب انتباهه، كموجة بحر، أو ربوة ناعمة، أو محطة قطار قديمة مهجورة. اعترف لي بأنّ روحي شدّته منذ الوهلة الأولى، وأنّ ضحكاتي السخيّة أضاءت جنبات قلبه، وأنّ شعورًا مبهمًا بأنّني سأغيّر مجرى قدره. أنّني سأكون وطنه الذي سقط منه في زمان ما، وفي غفلة عن أهله البسطاء، داهمه كل هذا وهو يُراقصني.

* * *

تُحاصرني أحيانًا جحافل الحيرة من أفعال زياد، يتصرّف بطريقة تُخرجني عن طوري، يختفي من ساحة حياتي، لا يردّ على اتصالاتي، يتجنّب لقائي، عاتبته مرّة بحدّة بعد استمرار غيابه عدّة أيام دون أن أتلقّى أيَّ اتصال هاتفي منه، عبّرتُ له عن تذمّري من مزاجه المتقلّب، رشقني بسهام نارية قائلًا بنبرة منفعلة «أعذرك فأنتِ تنتمين لبلد نفطي. لم تُجرّبي الحرمان. لم تتذوّقي المهانة. لم تحسّي يومًا بمعنى فقدان الهوية».

نظرتُ إليه مندهشة «أنتَ تقول هذا يا زياد!! أنتَ لم تعشْ هناك لتولول هنا طوال الوقت. لا تغضب منّي!! أنا أراكَ دخيلًا على ذاك الوطن. الفلسطينيون الحقيقيون هم أولئك الذين يتلقّون الرصاصات القاتلة بصدورهم العارية دون أن ترتجف أجفانهم».

هدأت أنفاسه المبعثرة «معك كل الحق، لكنّني كلّما قررتُ تمزيق هذه الصفحات المأساوية، زارني طيفا أبي وأمي في مناماتي، أصحو مفزوعًا على نظرات أبي المكلومة، وتأوّهات أمي الحزينة،

فتهزّني من أعماقي، تنبّهني أنّ الماضي لا بدّ من أن تمتد جذوره للحاضر والمستقبل، وأنّ أصولنا هي التي تصنع شخصياتنا سواء رضينا أو أبينا». أطبق كفّه على كفي متابعًا «انظري الفارق بين كفّينا!! هذا الفارق صنيعة ربّانية ليس للبشريّة دخل فيها، لكنّ هذا لا يعني نكران الهوّة التاريخية التي تفصل بيني وبينك. أنتِ فتاة يشعّ من ملامح وجهها النعيم، ويفوح من إبطيها عبق العطر الشرقي، وأنا رجل أتى أهله من أرض انتهكت بكارتها بمباركة العالم المتمدّن».

أستحضر بسعادة أين اعترف لي زياد بحبّه، كان ذلك يوم سبت في شقته، وقد انبطحنا بكامل جسدينا على سجّادة متوسّطة الحجم، أعجمية الصُّنع، تفترش أرضيّة غرفته، ذهني مشغول بتقليب كُتيّب صور لأحد المعارض الفنّية، سحبه زياد على حين غفلة من يدي، لمحتُ بريقًا متّقدًا يطلّ من فسحة عينيه وهو يقول بمرحه المعتاد «اسمعي. أريد أن أراك في الخمار الأسود».

ضحكت معلّقة «هل تفكّر في تنقيبي من رأسي لأخمص قدمي، وضمّي إلى واحدة من الجماعات الإسلامية المتطرّفة؟!».

«بل أريد اختراق الأزمنة الغادرة التي تحول بيني وبينك. أمحو من خلالك كل المؤامرات التي حيكت لتفريقنا. كسر القيود التي تعزل روحينا. هناك قصيدة جميلة قرأتها ورسخت في ذاكرتي لشاعر عربي من مكّة، ذكرها الأصفهاني في كتابه الأغاني، يقول مطلعها... قل للمليحة في الخمار الأسود... ماذا صنعتِ بزاهد متعبّد... آه يا سارة. أنا العبد الفقير الهائم في محراب حبّك. مولاتي شهرزاد. هل تقبلين بي عاشقًا؟ هل توافقين سيّدتي أن يُحبّك رجلٌ لا يملك سوى قلب مكسور، وسائح على باب اللّه أمنيته أن تكوني وطنه الصغير؟!».

يومها غمرتني الفرحة، انعكست آثارها على صفحة وجهي، حضرتني عبارات ربيكا «لا تكترثي بعادات التخلّف التي جاء منها

والدك. لا تفسحي أمامها المجال لتهزم حبّك. عيشي اللحظات كما تريدين ما دامت فيها سعادتك. السعادة أنفاسها قصيرة وتضيق ذرعًا بمن لا يُقدّرها وتفرُّ دون أن نلحظ غيابها».

أحببتُ جنون زياد الذي يهبّ من أعماقه مثل زمهرير الشتاء المباغت، عشقت الدفء الأهوج الذي يربض في عينيه، أستعيد عبارته التي يردّدها «نحن شعب دفعه الحرمان إلى اختزال الحياة، وتجرّع كأس العمر دفعة واحدة».

أكتئب أحيانًا، وأضحك أحيانًا أخرى، كلّما حضرتني أحاديث ومواقف حدثت لي مع زياد. سألني في واحدة من جلساتنا «هل شاهدت فيلم «تقرير أقلّية» Minority Report للممثل توم كروز Tom Cruise؟!».

«نعم. لكن لم ترقني أحداثه. شيء مرعب أن نُحاكم على ما نُفكّر فيه داخل عقولنا. كيف يمكن مُعاقبة شخص على جريمة خطّط لها ولم يرتكبها؟!».

«آه يا سارة... ليت الإنسان ينجح في استشراف المستقبل ويقدر بالفعل على منع الجرائم قبل وقوعها، خاصة تلك المتعلّقة بسرقة الأوطان».

أتذكّر زيارتنا لمعرض الفنان سلفادور دالي، تناقشنا طوال الطريق حول لوحاته ومجسّماته، عن تفاصيل حياته التي كان يكتنفها الكثير من الغموض، وعن نهايته المفجعة. قلتُ «شيء مؤسف أن يموت فنّان بهذه القامة بهذه الطريقة البشعة».

«الفنّان الحقيقي لا بدّ أن يتقمّصه شيطان الإبداع ليُخرج إبداعًا مميّزًا. شيء رائع أن يُودّع الفنان الحياة، وهو يحتضن بعينيه فنّه الذي أفنى عمره من أجله».

أخذتنا أقدامنا دون أن ندري إلى محطة ووترلو Waterloo، سألني «هل قرأت كتاب عزيز نيسين... مرحبًا يا عمري السبعين؟ في واحد من فصول الكتاب يسأل البطل حبيبته إن كانت ترغب في ركوب حافلة لا تعرف خط سيرها، أو ركوب سفينة ستبحر في بحر مجهول، أو الركوب في قطار يقودها إلى محطة غير معروفة!».

لحظتها شددته من يده قائلة «لنرَ من فينا الأكثر جنونًا!».

قطعنا تذكرتين إلى مدينة برايتون Brighton وهناك فاجأنا المطر، خلعت حذائي، أخذت أرقص حافية على الشاطئ وسط الرمال وهو يحوطني بمعطفه الجلدي قائلًا بنبرة حانية «ستُصابين بنزلة برد أيّتها العاشقة التي لن أكفّ عن حبّها يومًا. أعترف بأنّك أكثر جنونًا من بطلة عزيز نيسين، بل ومن سلفادور دالي نفسه».

قالت لي ربيكا «عـزيـزتـي، الأوطـان لا تُـورّث. هي مثل نبتة الصبّار الصحراوية. تربو في دواخلنا دون أن تُرغمنا على حبّها».

3

في أوائل السبعينات، حمل يوسف حقيبته مغادرًا مدينة جدّة، كان قد أتمّ السابعة عشرة من عمره، طاويًا في جيب سترته ورقة صغيرة مدوّنًا فيها عنوان العائلة الإنجليزية التي سيقيم عندها فترة دراسته. حلم حياته أن يُسافر إلى أوروبا ويرى العالم بناظريه، خوف والديه الشديد عليه زرع في أعماقه نبتة الحذر، جعله يحسب خطواته، يرصد تحرّكاته، أدرك وهو يُودّع طفولته أنّ أحلامه معقودة بتطلّعاتهما، رحلاته لم تتعدَّ بلادًا عربية كلبنان وسوريا ومصر. لحظة مولده قطع أبوه على نفسه عهدًا لا رجعة فيه، أن يجعله رجلًا ناجحًا، دفعه هذا الحلم إلى لجم مخاوفه الأبوية، لإيمانه بأنّ الوساوس الشديدة تُعوّق الإنسان عن الوصول لغاياته. قال لابنه وهو يودّعه في المطار «حلمي أن أراك مهندسًا يملأ اسمك الآفاق»، لامس الفزع حينها شغاف قلب يوسف، كان وحيد أبويه، لم يخطُ مطلقًا خارج البيت إلّا بإذنهما، لم يتعوّد أن يقوم بفعل أو يتصرّف في شيء إلّا بعد استشارتهما، بقيت أمه أسابيع بعد رحيله تسحُّ دموعًا على فراقه، كان المصحف أول شيء تضعه في حقيبته، أوصته أن يقرأ منه كل ليلة، قائلة بنبرة منفطرة «آياته ستحميك». كانت الساعة تقترب من الثانية ظهرًا حين وصل

مدينة الضباب، خرج من مطار هيثرو يتأبّط حقيبته، قدّم الورقة لسائق التاكسي، مرّ الأخير عليها مرورًا سريعًا بناظريه قائلًا «East Acton, Lane Road». حشر يوسف نفسه مع حقيبته في المقعد الخلفي، أدار السائق العدّاد ملقيًا عليه سؤالًا اعتياديًّا «من أيّ بلد أنتَ؟!». أجابه يوسف بلغة إنجليزية ركيكة «من السعودية». صرخ السائق بنبرة اندهاش «أوه... من بلد البترول. أنتَ فتى ثري إذًا!!». ابتسم يوسف، لم تكن لديه حصيلة كافية من المصطلحات الإنجليزية ليُجادل السائق. انشغل بمراقبة الطريق، كل شيء حوله كان خارجًا عن المألوف، الطرقات، المباني الإنجليزية العتيقة الطراز، الخضرة النضرة. لم تكن المنطقة بعيدة عن المطار، توقّفت العربة أمام فيلّا صغيرة من طابقين تُحيط بها حديقة منسّقة، مكسوّة بالعشب الأخضر، وقد نُصب عند المدخل عدد من الإجاصات، غُرست فيها نبتات أزهار مختلفة الألوان. نفح السائق أجرته، حمل حقيبته، رنّ جرس الباب، فتحت له فتاة مُقاربة له في العمر، ابتسمت في وجهه «أنت الساكن العربي؟! مرحبًا بك. اسمي مريام Merriam. اسمك يوسف على ما أعتقد!!». لسعه الارتباك، أومأ بالإيجاب، قادته إلى الطابق العلوي، أرته غرفته قائلة «هذه ستكون حجرتك. إنّها أفضل غرفة في البيت لكونها تُطلّ على الشارع. منطقتنا هادئة وبعيدة عن ضجيج السيارات». تأمّل وجهها بافتتان، بهرته ملامحها الطفوليّة، لون عينيها الشديدتي الزرقة، كانت ترتدي «شورتًا» من الجينز أبرز تناسق ردفيها وجمال ربلتي ساقيها، ويُغطي جذعها العلوي قميص أبيض اللون من دون أكمام، حدقتا عينيه بدأتا تتحرّران شيئًا فشيئًا من انبهارهما، تتصرّفان على سجيّتهما، شعور بالارتياح غمر أعماقه. نظرت مريام في ساعة يدها، أخبرته أنّ عليها الانصراف، طمأنته أنّ والديها سيعودان من عملهما في حدود الساعة الخامسة، أرته مكان

المطبخ، أبلغته بمواعيد وجبات الطعام.

تفهّم السيد ريتشارد Richard وزوجته لين Lynn معاناة يوسف، إحساسه بالغربة، افتراقه لأوّل مرة عن أسرته، كانا يدعوانه إلى الخروج معهما في عطلة نهاية الأسبوع، يحثّانه على مشاركتهما مناسباتهما العائلية، استطاعا بعد فترة خلق أُلفة بينه وبينهما. دراسة يوسف حتّمت عليه أخذ دورة كاملة في اللّغة الإنجليزية، قبل أن يلتحق بكلية الهندسة المعمارية في جامعة إمبيريال Imperial College. كانت ميريام تسبق يوسف بسنة دراسيّة، يستقلّان القطار معًا عند كل صباح، يلتقيان وقت الغداء في أحد المقاهي، ساندته، أخذت بيده، تدلّه على المراجع المهمّة، تشرح له ساعات طوالًا، غدت عيونهما تنطق بمعانٍ كثيرة يُدرك مغزاهما كل من حولهما. لم يجرؤ يوسف على تعرية مشاعره أمام مريام، كانت هالة من الرهبة تُسيطر على فؤاده، كلّما رفرف فوق رأسه طير الحب، إلى أن كان ذلك اليوم، قبع يوسف بجوارها لمساعدتها في تعليق زينة شجرة عيد الميلاد، أبواها خارج المنزل، كانت ميريام ترتدي تنّورة مقلّمة بألوان متعدّدة، وقميصًا أحمر من الصوف بياقة عالية، انعكس لونه على صفحة وجهها فزاده حلاوة، رائحة أنوثتها تفوح من طبقة جلدها البضّة، تنسكب بانسياب في خياشيمه، اختلس النظر إليها، سارقته هي الأخرى النظر، لاحظ استكانة الهيام في عينيها، لمّت بغتة كفه بين يديها قائلة «أشعر ببرودة شديدة». وقعت هزّة قوية فجّرت تربة مشاعرهما، أحسّا بصاعقة تضرب جسديهما، انفرطت فجأة سُبحة الحذر، ذاب جدار التحفّظ، كانت ندف الثلج تتساقط متكاسلة على الطرقات، تاركة قطرات نديّة تنحدر متعرّجة على زجاج النوافذ، وسكون الليل يُغازلهما من بعيد، يُحفّزهما على اقتحام دنيا جديدة. تركت له الباب مفتوحًا على مصراعيه، لم تكن لحظات استسلام

مرهونة بزمان أو مكان، بل كانت أوقاتًا يحكمها العشق. بدأ عنفوان يوسف يتفتّق أمام أنوثتها الغضّة، أخذ يرتشف مريام بنهم، كأنّه فارس مقدام اعتاد اقتحام ساحات الوغى، تاركًا صهيله البكر يرجُّ وهو يعبر أرضها، مخترقًا بشبقه المحموم كل الحواجز العالية الأسوار.

* * *

مرّت سنوات الدراسة سريعًا، لم يحسّ يوسف بمرورها، زيارات والديه طوال السنوات الستّ كانت قليلة، مقابل سفراته الكثيرة لهما في المناسبات والعطل الصيفية، كان أثناءها لا ينقطع عن مهاتفتها وإخبارها عن تفاصيل حياته اليومية هناك، تخرّج بامتياز مع مرتبة الشرف، قال لها وهو يحمل شهادة تخرّجه «أنا مدين لك بنجاحي. لن أنسى وقفتك بجانبي».

ارتسمت تقاسيم الأسى على وجه مريام وهي تودّعه، تشبّثت برقبته، أحاطته بذراعيها قائلة بعينين دامعتين أحنى الخوف أهدابهما، وبنبرة يتخلّلها رجاء خفّي «اجعلني دومًا في قلبك وفي ذاكرتك». في الشهر الأول من رحيله كان يوسف يُحادثها يوميًّا ثمّ باتت مكالماته تقلّ حتّى انقطعت تمامًا، لم تشأ إخباره وهو يلعق رحيق شفتيها للمرّة الأخيرة، أنّها تحمل ثمرة في أحشائها، أرادت مفاجأته عندما يعود مع أهله طالبًا يدها. كانت قد مرّت أكثر من ثلاثة أشهر لم تسمع فيها صوته، بدأت تحيط بها الهواجس، تُلاحقها الظنون... هل من المعقول أن أكون صفحة عابرة طواها من حياته؟! هل كان حبّنا أكذوبة صنعتها ظروف الغربة؟! طردت شكّها، حجّمت وساوسها، قرّعت نفسها. يجب أن أكون حسنة النيّة. لا بدّ من أنّ هناك عذرًا قاهرًا لانقطاعه.. لم تنقَدْ خلف هواجسها، أرسلت له كومة من الرسائل الواحدة تلو الأخرى، جميعها عادت إليها، وقد

كتبت عليها عبارة «العنوان غير صحيح». انهارت، ذرفت دمعًا مدرارًا، شعرت بأنّها عاشت كذبة كبيرة، أخذ بطنها يكبر مع تفاقم أحزانها، لم تتحرّر من آلامها إلّا حين وقعت عيناها على ابنتها، التي أعلنت ببكائها خروجها للدنيا. أفرغت جعبة أوجاعها مرّة واحدة، كل أنهار الحب الجارية في فؤادها غمرت به ابنتها، انهمكت في عملها، أصبحت مهندسة ديكور مشهورة، في واحد من مشاريعها التقت برجل أعمال معروف، وقع في حبّها منذ اللحظة الأولى، كان قلبها قد توقّف عن الخفقان خمس سنوات، بعمر ابنتها، أيقنت في لحظة تعقّل أنّه رجلها، حبّها الحقيقي، قبلت عرضه، تزوّجته، منح ابنتها اسمه، أصبحت في وثائقها الرسمية ربيكا وليم نورتون Rebecca William Norton.

أحلى ما في ربيكا، نظرة الاندهاش الآسرة المرسومة في عينيها، التي ورثتها عن والدها، وإن كانت في بعض الأحيان تحلُّ مكانها ومضة حياء، كلّما لاحقتها نظرات إعجاب أو التهمتها عيون نهمة. لها بشرة أبيها القمحية نفسها، التي لفحتها شمس البلاد الحارّة، وشخصيّته الهادئة الميّالة للوحدة. في سنتها الأولى بالجامعة جاءت لأمّها ضاحكة «اليوم أكّد لي زميل عربي من إحدى بلاد البترول أنَّ فيّ سمات عربية. ضحكتُ من عبارته مقسمة له أنّني لم أطأ في حياتي كلّها أيًّا من بلدانكم الثرية». نظرت أمها إليها وقد أصابها شيء من الوجوم، تقلّصت عضلات وجهها، مُكتفية بقمع انفعالاتها. بعدها بفترة قصيرة أخبرت ربيكا والديها برغبتها في تعريفهما إلى زميلها العربي، وأنّها تريد دعوته على العشاء بمنزلهم في عطلة نهاية الأسبوع، تجهّم وجه والدها، تعكّرت سحنة والدتها قائلة بعصبية «ليس هناك داعٍ لدعوة عربيّ إلى بيتنا. عقليتهم لا تحترم النساء». أكمل والدها الكلام «أوافق أمّك على رأيها. الرجال هناك لديهم

هوس عارم بالجنس. لا يعرفون كيف يميّزون بين علاقاتهم!!». بدأت تُقلّب ناظريها بين والديها، غير مصدّقة العبارات التي تفوّها بها، باغتها ذهول مصبوغ بالاستغراب، لم ترهما يومًا على هذه الصورة، ردّت بحدّة «كيف تحكمون على شخص دون أن تجلسوا معه؟! أرفض تعميم الأحكام، كما أنّني لم أعد صغيرة، ولي الحق في دعوة من أشاء». انسحبت إلى غرفتها، كان جوّ الكآبة قد بدأ ينتشر في فضاء المكان، نظر وليم إلى زوجته «أعتقد بأنّه قد آن الأوان لتخبريها. عمومًا كان لا بدّ من أن يأتي يوم وتعرف. رأيي أن تُصارحيها بكل شيء». تحاملت الأم على نفسها، دلفت إلى غرفتها، أخرجت من درج تسريحتها رزمة من الرسائل، ملفوفة بعناية في شريط أسود، كُتب عليها «أُعيدت لخطأ في العنوان» وقد دوّن في وسط الصفحة... إلى السيد/ يوسف يافع. وكُتب تحت تلك الجملة طريق المدينة الطالع. جدّة/ المملكة العربية السعودية. دقّت باب حجرة ابنتها، استأذنتها في الدخول، جلست على طرف السرير، مدّت إليها رزمة الرسائل، قلّبتها ربيكا بين يديها وقد ارتسمت علامة تعجّب على صفحة وجهها «ما هذا؟!». «اقرئيها بتمعّن وستعرفين الحقيقة». أجابتها بصوت مرتجف، انسحبت من أمامها، كان الفضول مستحوذًا على فكر ربيكا، ألفت الرسائل مرتّبة حسب تتابع التواريخ، ومدوّنة بقلم رصاص على أسطح الأظرف. فتحت الرسالة الأولى، كانت بتاريخ أكتوبر 1981 أي قبل مولدها بشهور. حبست أنفاسها، إنّه خطّ والدتها، لا يمكن أن تتوه عنه، قفزت عيناها نحو السطر الأوّل...

حبيبي يوسف...

رحيلك جعل أيامي قاحلة، واستمرارية حياتي من دونك مستحيلة. كل ركن في المنزل يذكّرني بك. تسوقني قدماي يوميًا إلى

الحديقة التي كنّا نقضي فيها بعض الوقت. الساعات تسير ثقيلة كأنّ عقاربها تعطّلت منذ أن انقطع وقع خطواتك عن دنياي. طمئنّي عن أخبارك. متى ستأتي؟! هل فاتحت والديك في أمر زواجنا؟! هناك مفاجأة سارّة حضّرتها لك، لن أخبرك عنها الآن.

قبلاتي الحارّة

مريام العاشقة

كانت الرسائل كافة تحمل الشوق والحنين نفسيهما والتساؤلات نفسها. فتحت الرسالة الأخيرة، كانت مختلفة بعض الشيء عن الأخريات، تفوح من سطورها عبارات اللوم والعتاب، تُصارحه فيها بحملها، وبأنّها تحمل جنينًا في أحشائها، مبيّنة له أنّها تنتظر قدومه على أحرّ من الجمر، راجية إياه باسم حبّهما الذي تعاهدا على الوفاء له، أن يأتي سريعًا ليضمّ طفلهما المرتقب.

أعادت ربيكا الرسائل لوضعها السابق، كانت مشاعر متضاربة تعتمل في أعماقها، فاضت عيناها بالدمع، ابتلعت صدمتها بمرارة، لطالما سمعت كلامًا مُشابهًا من أصحابها العرب، أنّ فيها وهجًا شرقيًّا مميّزًا يطلُّ من عينيها، كانت تُعلّق ساخرة «ربما أمي اشتهت رجلًا شرقيًّا، ولم يرد الرب أن يخذلها، فصبَّ شهوتها في ملامحي».

لم تشأ ربيكا فتح حديث مع والدتها حيال أصلها، اكتفت بأن أعادت لها مجموعة الرسائل. خيبة كبيرة تسرّبت إلى نفسها، أن يُحرّر شهادة ميلادها رجل انعدمت فيه صفة الإخلاص. إعصار مُدمّر اجتاح دواخلها، تولّد عنه فضول متوحّش ممزوج بغضب أهوج لمواجهة أب تنصّل من مسؤوليات حبّه. بدأت تُحاصرها الرغبة في نبش تاريخه، قامت بعمليات بحث مكثّفة على الإنترنت، أدخلت اسم والدها في غوغل Google، اكتشفت أنّه صاحب شركة ضخمة للمقاولات، وأنّ

اسمه ذائع الصيت في السعودية. نجحت في الوصول إلى إيميله الخاص، بعثت إليه رسالة مقتضبة، قالت له فيها... هل تتذكّر مريام؟! أنا ابنتها ربيكا. هناك مفاجأة لك قد تُقلقل حياتك. أرجو الاتصال على هذا الرقم».

لم يأخذ الأمر أكثر من أسبوع، فوجئت بصوت رخيم النبرة، يتحدّث بلغة إنجليزية متقنة «أنا يوسف يافع. أحادثك من جدّة». زلزال خاطف هزّ جدران قلبها، شعرت هنيهة بالارتباك، استعادت على عجل رباطة جأشها «أنا ربيكا ابنتك. ليس هناك سبب يُجبرني على إلصاق نسبي بك. لديّ أدلّة كثيرة تُثبت بنوّتي». ردَّ بصوت مضطرب «سأكون في لندن بداية الأسبوع المقبل. يهمّني أن نلتقي. كيف حال والدتك؟! أرجوك أبلغيها تحيّاتي».

لم يُحبّذ والدها بالتبنّي مشاركتهم اللقاء، قال لزوجته «هذه سحابة من الماضي، أنتِ وحدك من يجب عليه تبديدها». أجابته وعيناها مغرورقتان بالدموع «لا أعرف لماذا أشعر بالاضطراب.. ليس سهلًا أن تنبش قبرًا قديمًا، لتستخرج رفات ذكرى أليمة واريتها بيديك تحت التراب».

عندما التقت عينا ربيكا بعيني والدها لم تشعر بعاطفة تجاهه، لم تلفِ في نفسها الرغبة لأن تُلقي بنفسها في أحضانه، أو أن تقول له كم هي سعيدة بلقائه، كان أديم وجهها ينضح بما يعتمل بداخلها، لكن كان ثلاثتهم صافي النيّة في حتميّة القفز فوق جسور الماضي، والتعامل مع الحاضر بشفافية لا خبث فيها. تحدّث أبوها طويلًا مع والدتها، أرته شهادة ميلاد ربيكا، وأنّ ولادتها كانت بعد سفره إلى السعودية بعدّة أشهر، أي إنّها كانت حاملًا بربيكا في ثلاثة أشهر حين غادرها، لم يشعر بحاجته إلى مجادلتها، كانت ملامح ابنته تبرهن له صحّة كلامها. برقت عينا والدها بالدمع، طلب الصفح من أمها،

مقسمًا لها بأغلظ الإيمان أنّ أيًّا من رسائلها لم تصل ليديه، صارحها بأنّ أباه رفض رفضًا جازمًا فكرة أن يرتبط بامرأة من خارج بلده، وأنّهم غيّروا مسكنهم بعد عودته مباشرة، لم يستطع الوقوف في وجه أبيه، كانت تركة ديونه ثقيلة تجاه والديه، وهما اللّذان كرّسا حياتهما من أجله، رجّحت كفة الوفاء لهما على كفّتها، أقسم لها أنّه لم يكفّ عن حبّها. أخرج من محفظته صورة صغيرة لها، تطلّع فيها «هل تذكرين هذه الصورة؟! لقد أخذتها لك يوم رحيلي. قلتُ لك أُريد أن تظلّ هذه اللحظة لصيقة بذاكرتي حتّى أعود». كان وجه أمّها مطليًّا بطبقة من الجمود، وهباب الأسى يفترش قسماته، أكّدت له بنبرة باردة أنّها مزّقت صفحات أيامه من حياتها إلى الأبد، وأنّ الخوف الذي هزّ أعماقها على ابنتها، هو الذي دفعها إلى تعرية ماضيها. هالها أن تسقط ابنتها في الهوّة ذاتها، وأن تتجرّع من الكأس المسمومة نفسها. في نهاية اللقاء وبعدما تبدّدت مآسي الماضي، وعد يوسف ابنته بأنّه سيستخرج الأوراق كافة التي تثبت نسبها إليه، سائلًا إياها إن كانت ترغب في مرافقته إلى السعودية، لتتعرّف إلى إخوانها وأخواتها هناك.

ردّت ربيكا عليه بغلظة «لا أرغب في تغيير هويتي. ولا أريد شيئًا منك. أبي الحقيقي هو من قدّم لي سنوات عمره. أتعرف ما الذي دفعني للاتصال بك؟ كنتُ أريد أن أرى الرجل الذي سلب امرأة ناصعة القلب سنوات من سعادتها، وجعلها تعيش مصدومة ليالي طويلة. الرجل الذي تنكّر لحبّه وللإنسانة التي وثقت به وأعطته عواطفها بنيّة خالصة. الفضول هو الذي دفعني إلى طرق بابك. ثمّ ماذا ستقول لزوجتك وأبنائك؟! هل ستقول لهم إنّه كانت لي ابنة انفلتت من يدي وضاعت وسط الزحام وأوجدتها الصدفة أمامي؟».

أرخى جفنيه، ارتسمت علامات الأسى على وجهه وقال «لا تكوني قاسية على أبيك يا ربيكا».

قفل والدها إلى بلده، هاتفها من المطار، ترجّاها أن لا تتردّد في طلب أي شيء ترغبه، مؤكّدًا لها أنّه لن يتخلّى عن مسؤولياته تجاهها، وأنّه صادق في رغبته بالتكفير عن أخطاء الماضي بأيّ وسيلة كانت. لم تجد في نفسها الشجاعة لتقول له إنّ أُبوّته مثل صخرة ثقيلة اعترضت طريقها، فقامت بكلّ ما أُوتيت من قوة بدحرجتها إلى وادٍ سحيق.

* * *

صديقتي ربيكا تكبرني بسنوات قليلة، لها طلّة لافتة، فارعة الطول، بشرتها غضّة بلون الكراميل، شعرها ناري متموّج، خصلاته كثيفة، يُغطي أسفل كتفيها، تملك فصَّي عينين شديدي الزرقة، كانا الاستثناء الوحيد الذي ورثته عن أمها. تعرّفتُ إلى ربيكا في سنتي الثالثة بالجامعة، كانت تأخذ دورة تدريبية في فنّ التصوير الفوتوغرافي، التقينا في مقهى الجامعة، استأذنتني في الجلوس على طاولتي حيثُ كان المكان مُكتظًّا ليس فيه طاولة خالية. شممتُ منذ الوهلة الأولى نكهة عربية تنبعثُ من مسامّ جلدها، حدثت بيننا أُلفة سريعة، تبادلنا أرقام هواتفنا النقالة، خلال أسابيع توثّقت علاقتي بها، الصدفة وحدها كشفت لي أصلها العربي، قصّتها عليَّ وسط سياق حديثنا، سألتها بعدما اعتادت سكب خيباتها في حجري، إن كانت تفكّر في السفر إلى هناك، فأجابتني بتهكّم «صديقتي... الأوطان لا تُورّث. هي مثل نبتة الصبّار الصحراوية التي قرأنا عنها في كتب الجغرافيا، لكنّنا لم نرها ولم تلمسها أناملنا. الأوطان الحقيقية هي تلك التي تربو في دواخلنا ونعشقها دون أن تُرغمنا على حبّها. أنا لا أهوى الحب المعلّب الجاهز للأكل الفوري».

«هل ما زلتِ حاقدة على أبيك؟».

أطلقت زفرة حارة، وقالت بمرارة «لقد ذكّرتني برواية قرأتها لإيزابيل ألليندي... تقول في سطورها إنّ القلب مثل الصندوق، إذا امتلأ بالقذارة فلن يكون فيه متّسع لأشياء أخرى، لذا قرّرتُ أن أغسل قلبي من الحقد والضغينة لكلّ من سدّد لي طعنة قاتلة في جنح الظلام، أو تسبّب بإحداث جرح غائر في جسدي. أنا لا أُؤمن بفرضية الظروف، وكونه أبي لا يلزمني بالانصياع لمنطق الأبوّة!! أنا أتّبع منطق عقلي الذي نصحني بأن أقذف هذه الواقعة في خضمّ اليمّ لتلقى حتفها من دون ضوضاء مفتعلة. لقد كانت تلك المرّة الأولى والوحيدة التي رأيته فيها، رغم أنّه حاول رؤيتي بعدها عشرات المرات كلّما لامست قدماه أرض لندن...».

* * *

كنّا في شهر فبراير 2006، كان الجو مثقلًا بالبرودة، يُحرّض على الكآبة، اتّفقت مع مجموعة من الأصدقاء والصديقات على الانضمام إلى المسيرة التي كانت تضمّ عشرة آلاف شخص. كانت التظاهرة ستنطلق من ساحة الهايد بارك، احتجاجًا على الرسوم المسيئة للرسول محمّد التي نشرتها صحيفة دنماركية. رفضت ربيكا الذهاب معنا، قالت لي بنبرة فظّة «اسمعي يا سارة. أوروبا جميعها تنظر إلى أنبيائها على أنّهم غدوا من مخلّفات الماضي، ألا ترين كيف خلت كنائسها من الناس سوى عجائز يُعدّون على أصابع اليد الواحدة؟ ثمّ لماذا لا تلتمسين بعض العذر للأوروبيين في رؤيتهم للإسلام؟! لقد قرأت كتبًا عديدة عن المرأة في بلدانكم المسلمة. ألم يُكبّلها الإسلام بتعاليمه الصارمة، وهي التي كانت قبل ظهور الإسلام، تعيش حرّة طليقة،

تتنقّل كما تشاء، وتحكم بلدانًا شاسعة، وتتزوّج بمن ترغب بمحض إرادتها؟ ألم...».

قاطعتها «على رسلك. ليس للإسلام علاقة بما يجري. الإسلام بريء ممّا يتردّد باسمه».

«آسفة. لستُ مقتنعة بما تقولين. أنا على اقتناع تام بأنّ جميع الأديان أعادت الناس إلى عصور البربرية. سأضرب لك مثلًا بأوروبا التي لم تتحضّر إلّا بعد أن حجّمت أدوار الكنيسة. ألم ندرس في كتب التاريخ عن بطش كهنتها وإزهاقهم أرواح آلاف الأبرياء؟ ألم يتورّط قساوستها في حرق مئات النساء بعد اتّهامهنّ بالهرطقة والسحر؟ أبعديني عن هذه الدائرة الضيّقة الأُفق، ونصيحتي لك أن لا تُقحمي نفسكِ فيها».

«أنا لا أحمل ضغينة تجاه أيّ ديانة، لكنّني من خلال كتب كثيرة قرأتها في مكتبة أبي، وجدتُ أنّ الإسلام منح المرأة حقوقًا كثيرة، وأنّ المشكلة تنحصر في مناخ التطرّف الذي توغّل في المجتمعات العربية والمسلمة. هناك كتاب «سلطانات منسيّات» للباحثة الفرنسية فاطمة المرنيسي المغربيّة الأصل، ترى أنّ تزوير تاريخ المرأة المسلمة، هو الذي أدّى إلى انحسار أدوارها القيادية».

علّقت متهكّمة «لماذا لم تتطرّقي للمناضلات المسلمات أمثال تسليمة نسرين وأيان علي وغيرهما، اللواتي سجّلن اعتراضاتهنّ على انحياز دينكن للرجل الذكر على طول الخط، وآثرن العيش في الغربة خوفًا على حياتهنّ بعد خروج فتاوى تكفّرهنّ وتهدر دمهنّ؟! ألا تقرئين ما تنشره الصحف عن جرائم الشرف التي يتورّط فيها الآباء المهاجرون في حقّ بناتهم، بسبب تمرّد الضحايا على تقاليد الأهل، والتشبّث بحرية اختيار شريك الحياة؟! هل تُنكرين أنّ الحب الذي هو حق مباح لجميع كائنات الأرض، مصطلح شاذ في شريعتكم؟!

ألم يُسهم إسلامكم في أدلجة الإنسان حتّى تحوّل إلى آلة دورها منصَبّ على تطبيق قائمة من الفتاوى التي يُطلقها شيوخكم كل يوم؟!».

حرّك كلامها بركة الخيبات في أعماقي. «أُوافقك الرأي في أنّ بين رجال الدين من تمادى في أحكامه الخاصة بالمرأة، لكن هذا ناتج عن إساءة فهمهم لنصوص الشريعة الإسلامية».

* * *

أخذت جحافل الشتاء ترحل بعدّتها وعتادها، تاركة إرهاصات الصيف تتبختر في الحدائق والمروج الخضر. كانت ربيكا قد حدّدت موعد زفافها في أواخر شهر يونيو، أُقيم الحفل في منزل ذويها الذي يُطلّ على ضفاف نهر التايمز Thames بمنطقة Chelsea Harbour. بدت ربيكا مذهلة وهي تتبختر بثوبها الأبيض الدانتيل، وتسريحة شعرها البسيطة المعقودة مع طرحتها التل، المطعّمة بالورود، والمرتخية بدلال على ظهرها. رقصت ربيكا مع جورج على نغمات «الفالس» وعيونهما تتحاور بلغة عشق أخّاذة، رميتُ بصري صوب والدتها، كانت تتأبّط ذراع زوجها، تنظر إلى ابنتها بعينين تفيض منهما السعادة، لا أعرف لماذا خطر على بالي والد ربيكا، لم يكن له أثر في المكان، ولا في قلبَي أيٍّ منهما. غريب أمر الحب، بقدر مهارته في التسلّل بخفّة إلى قلب صاحبه، يُسبّب له الكثير من الأوجاع عند رحيله.

وقف زياد بجانبي، نُتابع عن كثب وبأنفاس متهدّجة، إيقاع خطوات العروسين. شاء حظي أن ألتقط باقة الزهور التي قذفتها ربيكا، وهي تركب السيارة التي ستقلّها مع زوجها إلى المطار، لقضاء شهر العسل. نظر زياد صوبي مغتبطًا «فأْل طيب. عقبى لك يا سارة».

«عندما تنطلق مآذن المساجد... وتقرع أجراس الكنائس...
فهذا لا يعني أنّ الجميع سيستجيب لندائها».

4

في صيف كل عام، نحزم حقائبنا للسفر إلى السعودية، نرضخ على مضض لمشيئة والدي في تمضية شهري يوليو وأغسطس في الرياض، تُنبّهنا أمي قبل كل شيء بوجوب وضع عباءاتنا في حقائب أيدينا، كنتُ وأخواتي نتعثّر في خطواتنا ونحن ندلف إلى صالة مطار الملك خالد بالرياض، تُلاحقنا تحذيرات أمي بوجوب تغطية وجوهنا، لفّ أجسادنا جيّدًا بالعباءات السود، فننظر بعضنا إلى بعض ونُطلق ضحكات مكتومة على هيئتنا، محاولات تبديد غيمات القلق القاتمة الجاثمة في أذهاننا، تجاه الأشخاص الذي يُطلقون عليهم هيئة الأمر بالمعروف والنّهي عن المنكر.

تلوح في أُفق حياتي أدخنة التوتّر، تجثم على قلبي هضاب من الهموم، مع اقتراب كل عطلة صيفية، أجد رحلتي للرياض مضجرة، باستثناء تلك الأوقات التي أقضيها مع بنات أعمامي. كان النزول إلى الأسواق، يُحرّك الفزع في دواخلي، تُخفّف بنات أعمامي من روعي، يُطمئنني أنّ «الفيصلية»[1] أكثر أمانًا من غيره، أستجيب لاقتراحهنّ

[1] من أهم المراكز التجارية في مدينة الرياض، ونادرًا ما يدخله رجال الهيئة، لاعتبارات «خاصة».

بشيء من الريبة. إذا ما خرجنا بالسيارة إلى شارع العليا، ومرّ رجال الهيئة بسيارتهم الجيب بمحاذاتنا، أو رمقتنا عيونهم الثاقبة، ينقبض قلبي وترتجف فرائصي هلعًا، وتحضرني حكايات الرعب التي يكونون أبطالها الفعليين.

هذا الصيف كان مضطربًا بعض الشيء بسبب هَيا، كبرى بنات عمي فهد، كانت قد تزوّجت في السابعة عشرة من عمرها، وطُلِّقت بعد عامين من زواجها. عندما سألتها عن سبب طلاقها، أجابتني بنبرة ساخرة «في بلدنا لا تُوجد مبرّرات مقنعة للطلاق. يكفي أن يقول الرجل إنّه لم يعد راغبًا في زوجته، حتّى يمنحه القاضي صك الطلاق. وقد تبلغ بالزوج الوقاحة فيطلّقها من دون علمها. في كلتا الحالين هو صاحب القرار».

«وماذا لو رغبت المرأة في الطلاق؟».

أجابتني بتهكّم «يجب عليها ساعتها تقديم مبرّرات مقنعة للقاضي، وإلّا اعتُبرت امرأة مستهترة، رفست نعمتها برجليها. وقد تظلّ سنوات مثل البيت الوقف، لا يحل بيعه ولا شراؤه».

علّقتُ بفضول «أليس من حلول أُخرى أمامها؟».

«بإمكانها أن تلجأ للخلع، وما أدراك ما الخلع! معناه أن تردّ له كل هداياه وعطاياه بما فيها قوالب الشوكولاتة وزجاجات العطر، لكن شريطة أن لا تكون فارغة!».

كان لهَيا صديقة مقرّبة منها، أخبرتها أنّ لها قريبًا يبحث عن زوجة في مثل مواصفاتها، استأذنتها أن تعطيه رقم هاتفها. تحمّست هَيا، كانت قد قاربت الثلاثين، لم تكن راغبة في أن يمضي شبابها باردًا، دون رفيق يُدفّئ فراشها، وأبناء من حولها يواسونها في كبرها. اقترح الرجل عليها أن يتقابلا في مكان عام قبل أن يتقدّم لخطبتها، مبرّرًا طلبه بأنّ كلًّا منهما قد مرّ بتجربة زواج فاشلة. اتفقا على اللقاء

صباحًا في أحد المقاهي، ما إن لامس قعرها المقعد واستهلّت الحديث معه حتّى فاجأهما ثلاثة من رجال الهيئة، أركبوهما السيارة الجيب، وقادوهما إلى مقرّ الهيئة. أحسست بجسدي ينتفض وأنا أراقب عمي فهد يجذب هَيا من شعرها وينهال عليها ضربًا، قائلًا بنبرة مزمجرة «لقد مرّغتِ اسمي في الوحل. أنا لم أدخل مقرًّا للهيئة في حياتي. من اليوم فصاعدًا لن تخرجي من عتبة هذا البيت». قصّت عليّ ودموعها تنهمر على خدّيها بلا توقّف، كيف سحل رجل الهيئة هاتفها الخلوي ليُدقّق في الأرقام المدوّنة، وكيف أمطرها بوابل من الأسئلة المُحرجة... كم مرّة اختليتِ بهذا الشاب؟! هل... وهل... وهل...؟؟ قصّت عليه حكايتها بالتفصيل، لم يصدّق حرفًا منها، استرحمته أن يتركها تذهب لحال سبيلها، مقسمة له بأنّها لن تعود إلى تكرار فعلتها ثانية، لم يُبال بتوسّلاتها، عزلوها في إحدى غرف المركز إلى أن أتى عمّي لتسلّمها وكأنّها طرد بريد.

كنتُ في صغري أستسلم صاغرة لإرادة أبي في قضاء كامل العطلة في الرياض، نمكث في بيت جدّي، الذي بقي مفتوحًا لأبنائه حسب وصيّته التي تركها خلفه، واستمرّت حجراته مُشرّعة حتّى بعدما غاب وجه جدّتي هي الأخرى عن الدنيا. يقع بيت جدّي في حي «المحمدية»[2]، يُحيط بالبيت سور عالٍ، تُزيّنه أحواض من الزهور والورود الجميلة، مع حديقة مزروعة بأشجار وارفة الظلال، يقوم برعايتها وتنسيقها بستاني عجوز، استقدمه جدّي منذ أكثر من عقدين من باكستان، وآثر من حينها البقاء، مُقسمًا أن يموت ويُدفن في تربة الأرض التي رعاها بذراعيه اليافعين. عندما ولّت طفولتي إلى غير رجعة، صرتُ لا أمكث في الرياض سوى أسبوع واحد، بعدها،

[2] واحدٌ من أحياء مدينة الرياض الراقية.

أعبّئ حقيبة ملابسي، وأطير إلى جدّة حيثُ يقيم عمي تركي لمدة تزيد عن عشرين عامًا، منذ أن تزوّج بامرأة جدّاوية. تستهويني جدّة ببحرها ورطوبتها التي تُلامس جلدي. كان عمي يملك شاليهًا في «درّة العروس»[3] حيث تنتشر المطاعم والمقاهي، وترسو اليخوت الصغيرة على الشاطئ، ويُسمَح باستخدام الدرّاجات البحرية. أتمالك نفسي من الضحك عندما أنصت إلى بنات عمي وهنّ يتحدّثن باللهجة الحجازية، أتذكّر الغمز واللمز من أقاربنا المقيمين في الرياض على عمّي تركي وبناته، وأنّهن يتحدّثن مثل «طرش البحر». سألت ابنة عمي سلمى مرّة عن معناها، أجابتني وقد استلقت على قفاها من الكركرة «هذا اللقب أطلقه النجديون على أهل الحجاز، يعتبرونهم من مخلّفات الحجّاج، الذين قدموا منذ مئات السنين إلى الجزيرة العربية وسكنوا فيها».

«هذه نظرة تُوحي بالعنصرية!! لقد درستُ أنّ من أهم بنود حقوق الإنسان، الاستمتاع بمواطنته على الأرض التي وُلد وتربّى عليها. في بريطانيا مثلًا، من حقّك أن ترفعي دعوى على رئيس الوزراء إن أهان أصلك أو تعدّى على حرّيتك. منذ عدّة سنوات فلت لسان الأمير فيليب زوج الملكة إليزابيث بتعبير ساخر عن الهنود البريطانيين. أتعرفين ماذا حصل؟ طالبته الجالية الهندية البريطانية باعتذار علني».

أجابتني ساخرة «نحن لسنا في بريطانيا يا ستّ سارة».

ليس لرجال الهيئة حضور مُكثّف في جدّة كالرياض. كنتُ أتحرّر كثيرًا من العباءة، أكشف وجهي بحرية، أدع الوشاح ينحسر

[3] شقق صغيرة منفصلة بعضها عن بعض ومُقامة على مساحة شاسعة، لا تُوجد فيها وسائل ترفيهيّة كصالات سينما وغيرها لذا تختلف عن المنتجعات، وهي تُطلّ على شاطئ البحر الشمالي الواقع على البحر الأحمر.

عن رأسي في السيارة، أخلعه وأنا أتمشّى على شاطئ البحر حيث يقع شاليه عمي، وحين يلحُّ عليَّ الحنين للسياقة، أنزع مفتاح سيارة عمي من السائق الهندي، وتحذيرات عمّي تُلاحقني بألّا أتجاوز حدود «الشاليهات»! تعلّمتُ شرب الأرجيلة من ابنة عمي سلمى. كنّا نرتاد المقاهي المنتشرة في أحياء جدّة دون أن أشعر بتوتّر يخنق أنفاسي، ودون أن يُصيبني الدوار الذي غالبًا ما يُلازمني في الرياض. تُحب بنات عمي التردّد على مقهى جافا Java، تلكزني سلمى في خاصرتي لحظة ولوجنا إلى داخله قائلة بشقاوة «تأكّدي من أنّ البلوتوث Bluetooth مفتوح. إنّها الطريقة الحديثة التي تتعرّف بها الفتيات إلى الشباب». تخترق طبلتي أذني رنّات رسائل الهواتف الجوّالة، ألاحظ انشغال الكل بقراءة رسالة وصلته أو بالرد عليها. تستعرض سلمى أمامي مغامراتها القصيرة المدى مع الشباب، سألتها لماذا ليس لها صديق رغم كثرة الحائمين حولها؟ ضحكت معلّقة «الحرّية لها حدود يا ابنة عمي. أريد أن أتزوّج ويُصبح لي أبناء. لا أُريد أن أدفع حياتي ثمنًا للهو بريء أشغل به وقت فراغي، وأُبدّد من خلاله الرتابة». عندما حكيتُ لها عن زياد، رأيتُ عينيها تجحظان «أنتِ بالتأكيد معتوهة. لن يُزوّجك عمي إلّا برجل سعودي وقبلي أيضًا، فكيف إذا كان من غير جنسيّتك!! لا تعتقدي أنَّ أباك إنْ تعلّم وعاش في الخارج سيُبارك هذه الزيجة. هذه علاقة موءودة من بدايتها». قلت منفعلة «لكنّني حرّة في اختياراتي». «عن أيّ حرية تتحدّثين يا ابنة عمّي؟! ألم تسمعي عن الزوجين فاطمة ومنصور، اللذين فرّق القاضي بينهما وحكم بطلاقهما لعدم تكافؤ النسب؟! إنّ حكايتهما عبرة لمن لا يُريد أن يعتبر. بل أزيدك من الشعر بيتًا: سمعتُ أنّ هناك ملفّات كثيرة من هذا النوع تنتظر دورها في المحاكم الشرعية. احمدي اللّه أنّه ليس لك أخ. المرأة هنا تدور في ساقية الوصاية، فبعد

أن تسقط ولاية الأب بوفاته، يتلقّفها الأخ، وهكذا تدور الدوائر هنا». لم أعلّق، اكتفيتُ بدفن خيبتي داخل صدري.

أعشق المسامرة مع بنات عمّي، بعد عودتنا للمنزل نُغلق الباب علينا، نتمدّد على السرير، ترتكز كل واحدة على وسادة، تأخذ سلمى دفّة الحديث ثمّ تدور على أختها سمر وتستقرّ عند سميّة. أخذنا الكلام مرّة حول قيادة المرأة داخل السعودية، سألنني في نفس واحد «ما أهمّية السيارة بالنسبة إليك؟». أجبتهنّ مبتسمة «تُحسّسني باستقلاليّتي مقدار ما تُشعرني العباءة بعبوديّتي» نستغرق في الضحك، تدور عيناي فيهنّ، أستمع بلهفة لحكاياتهنَّ المشوّقة عن مشاهد الحب التي تعيش في الخفاء بعيدًا عن رقابة الأهل، وتضطرُّ من تذوق طعمه إلى التنفّس تحت الماء حيث أوكسجين الحرية معدوم، مُجبرة كلّ فتاة ترغب في العوم في بحوره، أن تفتح عينيها على آخرهما، حتّى لا تلتفَّ شعبه المرجانية حول عنقها وتموت اختناقًا. تأثّرتُ بقصّة فوزية صديقة سلمى، التي أحبّت رجلًا لبنانيًا كان يعمل في مؤسّسة والدها، وهربت معه إلى باريس حيث تزوّجا. سألتها هل ما زالت تعرف شيئًا عنها. أجابتني بأنّها مستمرّة في مراسلتها عبر البريد الإلكتروني، وأنّها سعيدة جدًّا لا تشعر بالندم على ما أقدمت عليه.

كنّا عندما نفرغ من نميمة أحاديثنا، وتتعب ألسنتنا من القولان، نترك أغاني راشد الماجد، وعبد المجيد عبد الله تصدح في أرجاء الغرفة، أرى بنات عمّي يتمايلن على نغماتها، يُحرّكن أجسادهنّ بمهارة، يُدرن رؤوسهنّ، تاركات خصلات شعورهن تتبعثر على وجوههنّ.

سميّة، صغرى بنات عمي، تعشق الأفلام الأجنبية، توصيني أن أحضر لها أحدث الأفلام على أسطوانات DVD، فهمت من كلامها أنّ

أغلبية الأفلام يُحظر دخولها بحجّة انحطاط مضامينها، وحفاظًا على القيم الاجتماعية. عندما يهدّنا التعب، نُشغّل واحدًا من هذه الأفلام، في مرّة أطلقت سميّة تنهيدة مهمومة من أعماقها قائلة «ماذا يَضير لو سمحوا هنا بدور سينما ومسارح؟ ألن يكون الأمر جميلًا؟ آه يا سارة كم أشعر بالاختناق. ألا تشاطرينني إحساسي هذا؟». لم أردّ، أجلت فيها نظري، إحساس بالشفقة تسرّب لدواخلي، أشحتُ بوجهي عنها، عدتُ لملاحقة أحداث الفيلم، كانت أحاديثهنّ مشوّقة، قصصهنّ مُغرية في تفاصيلها، تلك التي وقعت لهنّ ولصاحباتهنّ في دائرة عمرهنّ، الذي ما زال يدق أبواب الحياة بفضول، لمعرفة ما يدور في دهاليزها وأحيائها وداخل مبانيها، لكنّها كانت تزيدني هلعًا، تُمزّق طمأنينتي، تسرق النوم من مقلتيَّ، تقصيني بعيدًا عن وطن لم أرصده إلّا من خلال عيون الآخرين.

* * *

علاقتي بوالديَّ مثل علاقة البحر بشاطئه، تقوم على المدّ والجزر. أحيانًا نادرة تهيج أمواجه وتدفع بزبده إلى الشاطئ غير آبهة بإرسال إشارات مسبقة، وفي أغلب الأحيان يظل سطحه مسترخيًا لا يسمع المستلقي على رماله سوى هدير موجه الحاني. أبي وأمي، كلاهما حرّك بوليصة حياتي باتجاه سواحل آمنة، نجحت أمي، بحضورها الطيّع وأريحيّة طباعها، في حماية سقف بيتنا من التصدّع، استطاعت بشخصيّتها الصبورة احتواء شخصية أبي الصارمة، تنحني بدهاء لإعصار غضبه حين ترى التعنّت يسبح في فضاء عينيه. صورة أمي مطبوعة في ذهني منذ أن بدأت أقيس الأشكال وأعي صور الناس، لم تتغيّر كثيرًا عمّا ألفته فيها، ظلّت ملامح الرضى والجنح للسلم محفورة في صفحة وجهها، دون أن تلفح أصابع الزمن في تغيير قناعاتها أو تبديل مواقفها.

كان أبي نقيضها، له حسّ دعابي، إن تكلّم أنصت الجميع له، يتمتّع بشخصية آسرة، يُدركها الجالس أمامه منذ الوهلة الأولى. لأبي صوت جهوري أجشّ، مغلّف بنبرة بدوية لم تستطع إقامته الطويلة في بريطانيا تليينها أو التخفيف من غلظتها، بقيت دليلًا دامغًا على إخلاصه لبيئته الصحراوية. كنتُ الابنة المقرّبة لوالدي، وتميمة روحه، مطالبي مستجابة وإن أعلن احتجاجه على بعضها أحيانًا قليلة. أخذتُ عنه عناده، صلابة شخصيّته، وتشبّثه بالحياة. علاقتي بأختيَّ تقوم على صداقة شفافة لا تعرف المقايضة، وفي ليالٍ كثيرة يجمعنا فيها الضجر، نُروّح عن بعضنا ونُشرّع قلوبنا دون محاذير. يوم أهداني أبي سيارة ميني كوبر Mini Cooper بمناسبة تخرّجي من الجامعة، قبّلته قبلة خاطفة في صدغه، وانتشلتُ مفتاحها من يده، مصطحبة أختيَّ معي، جُبنا اليوم بطوله أحياء لندن، مطلقات ضحكات مجلجلة في الفضاء من أعماق أفئدتنا.

مع مشاغل أبي الكثيرة، كنّا نتحيّن الساعات القليلة التي يُجالسنا فيها أنا وأختيَّ، ونُغرقه بوابل من الأسئلة، تتجلّى بقوة في بؤرة تفكيرنا، وتظلُّ مساحة الاعتراضات ماثلة أمام عيوننا، طوال فترة إقامتنا في السعودية، نلمس فواجعها عن قرب في أسارير بنات عمومتنا، وفي مشاهد الأُنوثة المقيّدة في الطرقات، وداخل الحجرات المغلقة، ضاربة بشدّة على جدران عقولنا، منتظرة إجابات شافية... لماذا يعكف رجال الهيئة على مطاردة الفتيات؟ لماذا يفرضون وصاية كاملة على النساء؟ لماذا لا تستطيع المرأة الخروج من البيت من دون عباءة؟ لماذا يجب على النساء السفر بموافقة وليّ الأمر؟ لماذا لا تُدافع الهيئة عن حقوق الفقراء؟ هل دورهم محصور في تنقية الأجواء من أنفاس المرأة، وترك المحتاجين للأقدار تتكفّل بمطالبهم؟ إجابات ابي واحدة لا تتغيّر، في أغلبها مقتضبة. نُنصت بملل إلى

تبريراته التي لا تُشبع فضولنا، وتزداد قناعاتنا يومًا بعد يوم بأنَّ ما يجري يُناسب الأزمنة الغابرة.

* * *

قضت جدّتي لأبي نحبها منذ سنوات قليلة، جاء أبي من مكتبه مكفهرّ الوجه، يحثّ أمي على سرعة تجهيز حقائب السفر، كان عمّي قد هاتفه طالبًا منه الحضور على الفور بعدما دخلت جدّتي في غيبوبة، نتيجة جلطة دماغيّة بسبب ارتفاع مستوى السكّر في دمها. بكى أبي بحرقة حين أبلغهم الطبيب بأنّه لا فائدة من بقائها في غرفة العناية المركّزة، سحبوا الخراطيم من ذراعيها، نصحهم الطبيب بأخذها إلى البيت، وتوديعها قبل ذهابها إلى مثواها الأخير. كنتُ أحب جدّتي كثيرًا، عند زيارتنا للرياض كنتُ أهدر في صغري جزءًا كبيرًا من وقتي لسماع قصصها المكرّرة عن قريتها الصغيرة، كانت تسهب في وصف مزارعها النضرة، ومياهها الجوفية، كانت تحكي ونظراتها تطفح شوقًا للتربة التي ترعرعت فيها. داهم جسد جدّتي مرض السكّري مبكرًا، غزت على أثرها المياه الزرقاء عينها اليمنى قبل بلوغها سنّ الستين، ما أدّى إلى إصابتها بعتمة أبدية، مع هذا لم تُمحَ هزّة الطرب في روحها، ظلّت دائمة المرح، تُبعثر خفة ظلّها على من حولها، تُصرّ على التباهي بقوة نظر عينها اليسرى، وبأنّها قادرة على رؤية ما وراء التلال البعيدة كزرقاء اليمامة المشهورة بعينيها الخارقتين. كنتُ قد أتممتُ للتو أعوامي الثمانية عشر حين اصطفاها اللّه لجواره، تملّكني شعور مُلحّ لوداع روحها، لم تكن الغاسلة قد بدأت بتكفينها، وجدت جدّتي ممدّدة على طاولة خشبية يتقاطر ماء الغُسل من زواياها، المرّة الأولى والأخيرة التي رأيتُ فيها جدّتي عارية، فقد حرصت دومًا على أن تُغلق باب حجرتها عليها عندما تُغيّر ثيابها، ألفيتها جسدًا هامدًا

لا حياة فيه، مُطبقة الجفنين، وصفحة وجهها تُغطيه سكينة عجيبة، وقد انحسرت ضفيرتا شعرها الهزيلتان على ثدييها اللذين حوّلتهما آلة الزمن إلى قطعتي جلد ممضوغتين. ظللتُ عدّة أيام لا أنام، روحها تُحلّق فوقي، أُحسّها تنفث أنفاسها في صفحة وجهي، أسمع صوتها وهي تُردّد عبارتها «أنتِ أكثر واحدة في إخوتك أخذت عن أبيك. اللّه يسعدك يا ابنتي».

كنتُ في الثامنة من عمري حين حارت نفسي في فهم ماهية الموت. رأيتُ أمي تبكي يوم وفاة أخي عبد الرحمن، الذي كان يصغرني بعام واحد، سألتها عن سبب بكائها!! أخبرتني أنّ اللّه قد اختاره ليُصبح عصفورًا في الجنّة. ظللت شهورًا أدور في البيت بحثًا عنه، أهرع إلى الحديقة كلّما تناهت لسمعي زقزقة العصافير، متسائلة وأنا أراها واقفة على الأغصان... تُرى أيّ واحد منها عبد الرحمن.

كانت حيرتي الثانية لا تقلّ عن الأولى، يومها أخبرتنا مديرة المدرسة بأنّ معلّمتنا هي الأخرى قد انتقلت إلى الجنّة وهي تلد طفلها الأول، وأنّنا لن نراها ثانية. عدتُ إلى البيت منكسرة الخاطر، سألتُ أمي «لماذا يموت الناس؟! لماذا اختار الموت أخي الذي يلهو معي، ومعلّمتي التي أحبّها؟! لماذا لم يأخذ حارس مدرستي الذي يعبس طوال الوقت في وجهي وينهرني إن اقتربت من بوابة المدرسة؟». مسحت بكفّ يدها على رأسي، أجابتني بعينين دامعتين «اللّه وحده له الحق في اختيار من يريد إلى جواره. لا أحد مُخلّد على هذه الأرض». سألت بنبرة واجفة «حتّى أنتِ وأبي؟». ضمّتني إلى صدرها، مبتلعة جرعة أوجاعها في أسى.

* * *

تركت ابنة عمي هيا جرحًا غائرًا في قلبي، تملّكتني لوعة مؤلمة بعد حادثة توقيفها وفضيحتها أمام الملأ. قلتُ لها غاضبة «لو حدث معي هذا، لما بقيتُ ثانية واحدة في بلد لا يحترم آدميّتي، وحقوقي كإنسانة». تأمّلتني هنيهة بعينيها المنكسرتين قائلة «أنت فتاة محظوظة يا سارة. هنا نتعلّم الخنوع والاستسلام. كل شبر نسير فيه يجب أن يتمّ بمباركة ذكوريّة. المرأة هنا يُنظر إليها على أنّها شهوة متحرّكة، جلَّ همّها إغواء الرجال».

لم أرَ بعدها هيا، ضمّتني إلى صدرها بحرارة يوم سفرنا، قائلة لي بنبرة متأسّية «لا تعودي. إذا عدتِ فستموتين قهرًا». لم أُدرك مغزى كلامها، أنّها قرّرت الهرب من اللغط المثار حولها، وإعلان اعتراضاتها في إخراج مأساوي، بتسجيل اسمها في قائمة الموتى. وصلنا الخبر بعد رجوعنا إلى لندن بيومين، آثرت وضع حدٍّ لحياتها، لترتاح من عذاباتها، وتتحرّر من نظرات اللوم التي أحدثت ثقبًا غائرًا في أعماقها. في سكون الليل، والجميع ملتهٍ في همّه، وسلطان النوم يحكم سيطرته على الخلق، ابتلعت كمّية كبيرة من الحبوب المهدّئة، وعندما افترش نور الصباح غرفتها، جفل شعاعه من رائحة الموت المنبثقة من مسامّ جسدها الغض، كانت روحها قد فارقت الحياة في الهزيع الأخير من الليل، والقدر كتب بخط بارز نقطة النهاية لعمرها القصير.

«الحياة مثل رقصة السامبا الشهيرة... تستلزم منّا تحريك الوسط وهزّ الأرداف... لكنّها لا تفرض علينا الدهس على رقاب حرياتنا بأقدامنا».

5

كشف لي زياد عن قلقه «أكاد أجنّ من غيمة الحزن الرابضة في ساحة عينيك؟! ماذا وقع هناك؟ أخبريني!». لم أتمالك نفسي، انهارت أعصابي، أجهشتُ بالبكاء، قصصتُ عليه ما جرى لهيا، كيف قضت على شبابها بيديها، والظروف الصعبة التي مرّت بها وقادتها إلى نهايتها المأساوية. سألني عن مصير الرجل الذي كان يُرافقها، أخبرته بأنّه لولا مكانة أسرته الاجتماعية الكبيرة، واستخدام نفوذها لوقع عليه حدّ الجلد. توقّفتُ عن الكلام، تلاحقت أنفاسي، أخذ جسدي ينتفض مثل عصفور صغير محبوس داخل قفص، دفنتُ وجهي في صدره، ضربات قلبي المضطربة تلاحمت طوعًا مع دقّات قلبه الحانية، صار يهدّئ من روعي، ربّت سلسلة ظهري، رفع رأسي، سألني وأنفاسه المتّقدة تُلهب جلد وجهي «سارة. هل تحبينني؟». كانت قطرات دموعي تنزلق بخفة نحو شقّ فمي فتروي جفاف ثغري «أنت تعرف ماذا تعني بالنسبة إليّ». علّق قائلًا «اعتاد الناس أن يعيشوا كلّ يوم حبًّا في حياتهم، لكن قلّة منهم من تملك أداة سحرية لتحويل حبّ عمرها إلى قرار مصيري. لا يكفي أن تحبّيني. أطمع أن يملك حبّنا الشجاعة الكافية للقفز فوق كل الحواجز، ومقاومة الأعراف العقيمة. الحب المتمرّد الذي يفوح

منه عبق البدائية هو أجمل أنواع الحب».

«الحبّ البدائي الذي تتحدّث عنه، هو الذي دفع قابيل لقتل أخيه هابيل».

«لو كان أمام قابيل خيارات أخرى، لأصبح الأمر مختلفًا. أتدرين متى يعرف الرجل أنّه يجب امرأة بعينها؟!».

«متى؟!».

«حينما لا يهفو قلبه إلّا لها دون غيرها من النساء. ولا يحس بالسعادة إلّا حين يجدها بقربه».

«من هو الأصدق في لحظات الحب، الرجل أم المرأة؟».

«اللحظات الصادقة لا تنحاز لطرف على حساب طرف آخر. أتعرفين ماذا يقول جان جاك روسو عن الحب؟ الرجل يحب ليسعد بالحياة، والمرأة تحيا لتسعد بالحب، تعالي يا سارة. دعينا نسعد بحبّنا دون أن نُخضعه لأيّ نوع من المعادلات الحسابية».

انشغل زياد بالمشاركة في معرض عالمي، يضم فنانين من مختلف أرجاء العالم، اقترحت عليه أن يُشارك بتمثالي، غضب مني. قال لي بحدّة «حبّي ليس للفرجة. هذا التمثال لي وحدي. صنعته لكي أعرف كم أنا رجل محظوظ لكوني أملك هذا الجمال وأتمتّع بحلاوة هذه الروح». شارك بتمثال والدته البرونزي في المعرض، سمّاه «وجه من فلسطين». نال جائزة عليه، حاز إعجاب النقّاد، كتبوا أنَّ سحر هذا التمثال يكمن في مهارة صانعه في تجسيد معاناة صاحبته، وفي مقدرته الفائقة على حفر آلامها وجراحها، التي تنطق صارخة من عينيها الغائرتين، وأخاديد وجنتيها، وجبينها المزدحم بالخطوط المتعرّجة. كنتُ بجانبه وهو يتسلّم جائزته، قال لي مغتبطًا «لقد استطاعت أمي وهي في العالم الآخر، أن تُرسل رسالة تظلّم للعالم أجمع، دون أن تُطلق من بندقيّتها رصاصة واحدة. ألم أقل لك

يا سارة إنّ الفن أقوى تأثيرًا، وأشدّ فتكًا من المدافع الرشاشة؟ ليتها كانت حيّة لترى أنّني ابن وفيّ، لم أنكث بوعدي».

* * *

اتفقتُ أنا وزياد على زيارة ربيكا وجورج في بيتهما، كانت شقّتهما الصغيرة البسيطة في أثاثها، تقع في منطقة Canary Wharf بالقرب من مقرّ عمل جورج. كلّ زاوية في البيت تنطق بالحب، كلّ ركن يعزف سيمفونية عشق متناسقة النغمات. استقبلتنا ربيكا بثوب زهري انعكس لونه على محيّاها المتدفّق فرحًا، وقد رفعت خصلات شعرها بدبّوس فضّي، مُطَعّم بفصوص من الكريستال الملوّن. تركتُ زياد مع جورج ودخلت لمساعدة ربيكا في تحضير العشاء، سألتها «سعيدة؟».

لمعت عيناها ببريق أخّاذ «لم أتعوّد التعامل مع السعادة كشيء ملموس. السعادة تُنعش أرواحنا، وتُبدّد السحب القاتمة في حياتنا، دون أن نلمسها بأناملنا أو نتذوّقها بألسنتنا. هي كلحظات الحزن تباغتنا فجأة وتنحسر عنّا فجأة أيضًا».

«هل يُراسلك والدك؟».

تغيّرت سحنة وجهها، مرّت غمامة حزن سريعة في فضاء عينيها «قلتُ لك من قبل إنّها مرحلة ضبابيّة انقشعت من حياتي. أنا لم أتعوّد الوقوف عند أزماتي أندب حظي. الأشخاص الذين ليس لهم تأثير طيّب في ذاكرتي أمزّق صورهم سريعًا. ليس ملزمًا أن تُقحمي شخصًا في حياتك لمجرّد أنّه أبوك أو أخوك أو زوجك. العلاقات الإنسانية تُبنى مع رغبتنا في التفاعل معها بطيب خاطر، لا من أجل وثيقة نحرّرها في مركز شرطة أو نُقيّدها بعقد زواج مكتوب، أو نُوثّقه داخل مكتب جوازات».

«لكنّه أبوك يا ربيكا. مهما جرى فستظل دماؤه تجري فيك».

غرزت نظراتها الثاقبة في عينيّ «أتحبّين زياد؟».

«بالتأكيد أحبّه، لكن ما دخل هذا بحديثنا؟!».

«هل ستنصاعين لأبيك إذا طلب منك الابتعاد عنه؟».

«بالطبع لا. لا توجد قوة على الأرض ستحول بيني وبينه».

«إذًا أنت توافقينني الرأي على أنّ آباءنا وأمّهاتنا ليسوا المحرّكين الرئيسيين لوجهة مستقبلنا. كل ما تقولينه أمور شكلية وقناعاتنا نحن من يصنعها».

عدتُ ليلتها إلى البيت، رمقتُ أبي وأمي بطرف عيني، قلّبتُ ناظري في مشاعل والعنود. هل حبّهم قدر مفروض عليّ، أم هي عاطفة جيّاشة تأسرني بصدق، وترتع بدلال في رقعة فؤادي؟ هل من السهل أن يتحرّر الإنسان من قيد ماضيه الذي يجمعه بمن يحب؟ هل من الممكن أن يرمي المرء بقجّة ذكرياته في خضمّ اليمّ، من دون أن يرمش له جفن؟

* * *

تبادلنا أنا وزياد الابتسامات، أعلنت المضيفة إقلاع الطائرة إلى روما، أحكمتُ ربط حزام المقعد حول خصري، ألصقتُ وجهي بالنافذة، أخذتُ أُلاحق بعينيّ مطار هيثرو Heathrow Airport وهو يتقلّص شيئًا فشيئًا حتّى اختفى عن ناظريّ. ملتُ برأسي على منكب زياد، سرحتُ، استحضرتُ في فكري تفاصيل ليلة عيد رأس السنة الأخيرة، ليلتها وقفتُ أنا وزياد فوق جسر وستمنستر، نراقب مبتهجين انطلاق عروض الألعاب النارية التي أضاءت عنان السماء، من البعد أطلّت ساعة بيغ بن Big Ben، وقد تعالت أصوات الجماهير الحاشدة، المتجمّعة وسط ساحة وستمنستر، حيث عُلّقت شاشة عملاقة، تنقل

على الهواء مباشرة، دخول أشهر عواصم العالم إلى العام الجديد. كنتُ أنتفض من الصقيع، لفّني زياد بمعطفه قائلًا بصوته الرخو «سارة. هل تتزوّجينني؟!». قلتُ باسمة «لا أسمعك». صرخ بأعلى صوته «هل تتزوّجينني؟!». تشبّثت برقبته، أومأت بالإيجاب، قرّرنا دخول السنة الجديدة كزوجين. كان زياد قد ساعدني في الأشهر الماضية على استكمال الإجراءات كافة للحصول على الجنسية الإنجليزية، وقرار السفر إلى روما لم يجئ صدفة، فقد وافق على المنحة التي جاءته لأخذ دورة فنّية لمدّة سنة كاملة، في واحدة من أكاديميات روما العريقة، وأصرّ على أن يُحقّق حلمه وهو يتأبّط ذراعي.

أصرَّ تلك الليلة على أن يُضيء كلّ أنوار البيت، قائلًا لي «النور تعبير عن الوضوح. أريد أن أدخل معك دنيا مضيئة، ليس فيها ركن مظلم ولا زاوية معتمة».

دلف بي إلى غرفته، وهو يحملني بين ذراعيه «آسف لأنّني حرمتك من لبس الفستان والطرحة البيضاء. أعلم أنّها أُمنية كل فتاة».

قلتُ له وأنا أرتمي في لهيب فحولته «يكفيني أنّي مُحصّنة بحبّك النقيّ».

جاشت فجأة مشاعر الفراق في صدري، ترقرقت عيناي بالدمع، سرحت في أبي، تخيّلت ملامح وجهه التعيسة لحظة اكتشافه غيابي، لكزني زياد في خاصرتي، قطع عليَّ حبل أفكاري «بماذا تُفكّرين؟!». نظرت إليه نظرات ملتاعة، أدرك خباياي، قال لي «هل ما زلتِ مصرّة على إرسال دفتر مذكّراتك لأبيك؟!». ابتسمت بمرارة «بل زدتُ إصرارًا. لكن ليس الآن. ما زال في جعبتي الكثير لأبوح به. هناك تفاصيل لم أفرغ منها بعد. أُريد أن أكون أمينة معه».

«هل ستكونين أمينة أيضًا مع أولادنا؟ هل ستخبرينهم قصّتنا كاملة، أم ستخفينها عنهم حتّى لا يتجرَّأوا في المستقبل علينا؟».

«بل سأحكي كلّ فصولها ليتقنوا صنع حياتهم مبكرًا».

أغمضتُ عينيّ، غاص وجهي ثانية في صدر زياد، حضرت بقوّة هيئة أبي، بالتأكيد سيغفر لي صنيعتي، سيتفهّم قراري وهو يقرأ سطوري، أنّني لم أفعل إلّا ما فيه سعادتي. أنا واثقة بأنّه سيكتب قصّتي بقلمه الرائع عندما تهدأ انفعالاته، فأنا لم أنس قط تلك القصص التي قرأتها له في بداية مراهقتي، كانت مدسوسة في درج مكتبه، ظننتها لواحد من أصدقائه حتّى ألفيتها مذيّلة بتوقيعه. أمّا أمي، فأنا مقتنعة بعقلها الراجح، ستستطيع احتواء ثورة أبي كعادتها، وستتعامل مع فكرة غيابي كما تعاملت مع الكثير من الأمور المستعصية التي مرّت بها في حياتها.

كنت أُريد ترك أقصوصة صغيرة لأبي أقول له فيها إنّ الحياة مثل رقصة السامبا الشهيرة، تستلزم منّا تحريك الوسط وهزّ الأرداف، لكنّها لا تفرض علينا الدهس على رقاب حرّياتنا بأقدامنا!. إنّني بطبعي أبغض الجحود، ولا أحمل كرهًا لوطني، لكنّني أرفض أن أحيا في أرض تلتهم حرّيتي، وتُصادر كينونتي باسم الأعراف والتقاليد. إنّني لا أرغب في الانتماء إلى تربة تشعرني بأنّني مطيّة سهلة لكل من هبّ ودبّ!! تراجعتُ في اللحظة الأخيرة، موقنة بأنّه عندما يتصفّح مذكّراتي، سيتفهّم أنّ الأوطان تفقد بريقها وتذبل سلطتها إذا قست أكثر من اللازم، وستُخرج فلذات أكبادها دون قصد عن طورها، وتجعلها تكفر بكل قيمها الجميلة. أنا سعيدة مع زياد، لأنّني عثرتُ على توأم روحي، ويكفيني أنّني أصبحت وطنه المسلوب الذي عثر عليه أخيرًا، من خلالي عادت إليه طمأنينة نفسه، ومن أجلي قوّى عزيمته، وقطع على نفسه عهدًا بهدهدة حلمه، أن يُصبح اسمًا مميّزًا في دنيا الفن. لا أدري متى سيجتمع شملي مع أبي وأمي وإخوتي، ربّما غدًا أو ربّما بعد غد... لا أعرف إن كان الشوق والحنين إليهم

سيحرّكان الندم في أحشائي، ويؤنّبانني على قراري الذي اتّخذته، لكنّ صدى الجملة التي ألقتها ربيكا عليّ وهي تُودّعني ما زال يرنّ في أذني «سارة. قد تكون جذوري عربية من وجهة نظرك، لكنّني تربّيت على أن أصنع قدري بيدي. لم أهتمّ يومًا بالمكتوب في صفحات الآخرين عنّي، أو أخنع لمفاجآت الأيام. أما الأب الذي تجري دماؤه في عروقي كما تقولين، فلم يُحرّك فيَّ الاحتياج إلى حبّه، لأنّ الحب الذي لا يتربّى أمام عينيك، ولا يزرع بصيص أمل في وجدانك، يفقد لمعانه الأصلي، وبالتالي لا يملك القدرة على إغرائك وتقديم تضحيات جليلة من أجله».

انتهت

تنويه

أودّ تقديم شكر خاص لابنتي «نورة»، قارئتي الأولى، التي اكتشفتُ أنّها تمتلك ذائقة نقدية دفعتني إلى الأخذ بآرائها في هذه الرواية تحديدًا قبل أن أُرسل المخطوطة إلى دار النشر، كما أمدّتني ببعض المعلومات التي كنتُ أجهلها عن عالم الفتيات. كذلك، أودّ تقديم شكر خاص لصديقتها البحرينية سوسن العريّض التي قدّمت لي الكثير من المعلومات الهامة عن معالم لندن، ولم تألُ جهدًا في مساعدتي وتسهيل حصولي عليها.